DU BON USAGE
DE LA LENTEUR

Collection dirigée par Lidia Breda

Déjà parus

Marc Augé, *Les Formes de l'oubli*
Bruce Benderson, *Sexe et solitude*
Michel Cassé, *Théories du ciel*
Catherine Chalier, *De l'intranquillité de l'âme*
Malek Chebel, *Du désir*
Gabriel Matzneff, *De la rupture*
Dominique Noguez, *Les Plaisirs de la vie*
Jackie Pigeaud, *Poésie du corps*
Pierre Sansot, *Chemins aux vents*
Fernando Savater, *Pour l'éducation*
Michel Surya, *De l'argent*
Chantal Thomas, *Comment supporter sa liberté*
Shmuel Trigano, *Le Temps de l'exil*

PIERRE SANSOT

DU BON USAGE DE LA LENTEUR

MANUELS PAYOT

106, boulevard Saint-Germain – 75006 Paris
ISBN : 2-228-89173-8
ISSN : 1281-5888

Tout le malheur des hommes vient d'une seule chose, qui est de ne savoir pas demeurer en repos, dans une chambre.

PASCAL

AVANT-PROPOS

Les êtres lents n'avaient pas bonne réputation. On les disait empotés, on les prétendait maladroits, même s'ils exécutaient des gestes difficiles. On les croyait lourdauds, même quand ils avançaient avec une certaine grâce. On les soupçonnait de ne pas mettre beaucoup de cœur à l'ouvrage. On leur préférait les dégourdis – ceux qui, d'une main leste, savent desservir une table, entendre à mi-voix les ordres et s'empresser à les réaliser et qui, enfin, triomphent dans le calcul mental. Leur vivacité éclatait dans leurs mouvements, leurs répliques, et même dans l'acuité de leur regard, la netteté de leurs traits : de vif-argent. « Ne vous faites pas de souci pour eux, ils se tireront toujours d'affaire. »

J'ai choisi mon camp, celui de la lenteur. J'éprouvais trop d'affection pour les méandres du Lot, un petit paresseux, et pour cette lumière qui en septembre s'attarde sur les derniers fruits de l'été et décline insensiblement. J'admirais ces gens, hommes ou femmes qui, peu à peu, le temps d'une vie, avaient donné forme à un visage de noblesse et de bonté. À la campagne, après une journée de travail, les hommes levaient leur verre de vin à hauteur de leur visage, ils le considéraient, ils l'éclairaient avant de le boire avec précaution. Des arbres centenaires accomplissaient leur destinée siècle après siècle et une telle lenteur avoisinait l'éternité.

La lenteur, c'était, à mes yeux, la tendresse, le respect, la grâce dont les hommes et les éléments sont parfois capables.

À l'inverse m'irritaient ceux de mes camarades qui se précipitaient à la cantine et qui à l'école couraient après les premières places, pourquoi pas, le prix d'excellence. Ils désiraient devenir très vite des adultes, emprunter les habits et l'autorité des adultes – après avoir bâclé une enfance à jamais abolie. Je me méfiais tout autant des visiteurs (nous les appelions les « Parisiens ») qui, après avoir fait le tour de nos fermes et avoir compris « nos mentalités », s'en retournaient à la ville pour se moquer des ploucs qu'ils avaient rencontrés.

Pour ma part, je me suis promis de vivre lentement, religieusement, attentivement, toutes les saisons et les âges de mon existence.

Le monde est allé de plus en plus vite : les

panzerdivisions n'ont pas mis plus de quarante jours pour parcourir et occuper la France. Aujourd'hui, les hommes qui ne sont pas aptes à soutenir ce train d'enfer demeurent au bord de la route et souvent attendent en vain qui les dépannera et leur permettra de recoller au convoi. La raison veut-elle que nous nous inclinions devant un processus que l'on dit irréversible ou bien ne nous invite-t-elle pas plutôt à nous soustraire à une telle galopade quand rien ne la justifie ? Une simple remarque m'inciterait à emprunter la seconde voie. Les personnes si rapides devraient, en principe, accumuler une petite pelote honorable de temps libre où enfin elles vivraient pour elles-mêmes sans se soucier d'une tâche imposée. Or à l'évidence elles me semblent vivre misérablement dans une sorte de pénurie, étant toujours à la recherche de quelques instants où elles seraient délivrées d'un forcing épuisant.

On aura compris que la lenteur dont je traiterai dans ce texte n'est pas un trait de caractère mais un choix de vie : il conviendrait de ne pas brusquer la durée et de ne pas nous laisser bousculer par elle – une tâche salubre, urgente, dans une société où l'on nous presse et où souvent nous nous soumettons de bon cœur à un tel harcèlement.

J'ai voulu décrire quelques attitudes qui laissent place à cette lenteur et nous assurent une âme égale.

Flâner : prendre son temps, se laisser guider par nos pas, par un paysage.
Écouter : se mettre à la disposition d'une autre parole à laquelle nous accordons crédit.
L'ennui : non point l'amour de rien mais l'acceptation et le goût de ce qui se répète jusqu'à l'insignifiance.
Rêver : installer en nous une conscience crépusculaire mais alerte, sensible.
Attendre : afin d'ouvrir l'horizon le plus vaste, le plus dégagé possible.
La Province intérieure : la part fanée de notre être, une figuration de l'anachronique.
Écrire : pour qu'advienne peu à peu en nous notre vérité.
Le vin : école de sagesse.
Moderato cantabile : la mesure plus que la modération.

Dans toutes ces expériences, la lenteur ne signifie pas l'incapacité d'adopter une cadence plus rapide. Elle se reconnaît à la volonté de ne pas brusquer le temps, de ne pas se laisser bousculer par lui, mais aussi d'augmenter notre capacité d'accueillir le monde et de ne pas nous oublier en chemin.

Je me serais exalté, j'aurais parlé, sans trop d'austérité, en philosophe. Je me serais attendri. J'aurais alors l'envie de flâner sur des terres indécises, que lenteur et célérité se disputent. Car comment ne pas rendre hommage au brio, à la *vista*, à la vivacité ? Il faut alors que l'acteur exécute prestement sa partition, manifestant ainsi un surcroît de maîtrise, de savoir-faire, d'inspiration. Comment ne pas manifester notre gratitude à l'égard de Figaro ?

J'ai endossé le rôle d'un procureur, mais d'un procureur aimable et compréhensif. De là un procès instruit à l'encontre des infatigables qui accélèrent un processus déjà à l'œuvre et l'emballent. Mais aussi une mise en garde contre un éventuel acharnement culturel. J'admire ceux qui ont consacré leur destinée à la culture sous toutes ses formes et trouvent là une justification à leur vie. J'espère avoir été mordant sans être hargneux, avoir fondé mon réquisitoire sur des raisons, tout en reconnaissant la part d'un engagement singulier. Je chercherai à donner des couleurs à quelques utopies raisonnées.

Pour un urbanisme retardataire : c'est-à-dire que, sans entraver la libre circulation des personnes et des marchandises, nous prendrons en compte le souci d'habiter, donc de demeurer dans les lieux avec lesquels nous nous sentons en bonne intelligence. En guise d'adieu j'offrirai un bouquet de maximes. L'effleurement et non l'affairement : comment nous pouvons nous montrer attentionnés au monde, aux autres et non point les arraisonner, en un mot :

comment mieux vivre après m'avoir lu avec bienveillance.

Alors l'ennui, le recours à une province engourdie, pourquoi pas délabrée, à une écriture risquée et solitaire, attendre ce qui jamais n'adviendra, joindre les mains au lieu de les ouvrir, se confier à la seule sagesse du vin, n'est-ce pas bouder le monde ? Et n'eût-il pas été préférable de choisir une autre voie plus noble – celle de l'exil et non de cette fâcherie ? Je ne crois pas m'être fâché avec l'univers. J'estime que vivre constitue en ce qui me concerne une chance, qui ne me sera pas accordée une seconde fois : une chance non point parce que la vie nous fait des cadeaux et que sur une balance idéale la somme des plaisirs excéderait celle des peines, mais parce que je mesure à chaque instant la chance que j'ai d'être un vivant, d'accéder chaque matin à la lumière et chaque soir aux ombres, que les choses n'aient pas perdu leur éclat naissant et que je perçoive aussitôt l'esquisse d'un sourire, le début d'une contrariété sur un visage, bref que le monde me parle.

La vie elle-même comme ondoiement, comme déploiement, la vie à fines gouttelettes plutôt que comme une tornade ou un fleuve impétueux. Une lumière plutôt qu'une force.

À la suite de ce privilège commun à toute notre espèce, j'ai voulu, j'aurais voulu me faire espace non point pour m'exiler ou me retirer dans un vide proche du non-être ou de l'éternité, mais pour ne pas être tracassé par un temps qui ne procéderait pas de ma personne. Du même coup j'en veux à tous ceux qui prétendraient remplir mon espace de leurs propositions nécessairement malhonnêtes. Je leur intime dans ces quelques pages mon désaccord. J'exige qu'ils me laissent cheminer à mon rythme ou plutôt à celui auquel la Fortune m'a destiné

POUR PARER
AUX EMPRESSEMENTS DU TEMPS

Ce qui me scandalise chez ceux que je nomme les infatigables, c'est que leur énergie ne s'épuise jamais. Nous devrions disposer, les uns les autres, d'une quantité plus ou moins importante, mais de toute manière limitée, d'énergie. À la suite d'une débauche d'efforts, elle diminuerait, quitte à se reconstituer après une période de latence. Je n'ai pas remarqué un tel processus chez mes infatigables et les explications de ce phénomène demeurent incertaines. Le mental peut-il avoir chez un individu une telle importance ? L'ivresse de se dépasser, joies et douleurs mêlées, ouvrirait des vannes d'énergies supplémentaires, et ce serait alors une crue, et non point la sécheresse attendue. Quand ils se donnent avec moins d'ardeur, le cycle auquel j'ai fait allusion fonctionne mal et, avec quelque paradoxe, on constate un certain tarissement de leurs énergies – qui peut se traduire par la dépression ou d'autres symptômes inquiétants. Ne disons pas, comme on l'avance à l'ordinaire, qu'ils paient les efforts : bien au contraire, ne les déployant plus comme à l'ordinaire, ils « craquent » car le circuit énergétique s'en trouve déréglé.

Nous sommes tentés, je ne dis pas d'égaler les plus performants, mais de ne pas être ridiculement dépassés par eux. Cette visée s'avère maladroite et inconséquente. D'abord les infatigables s'aperçoivent que d'autres concurrents cherchent à les rattraper. Ils se retournent avec quelque surprise et redoublent d'énergie en nous narguant : « Quoi, ces hommes quelconques auraient la prétention de nous accompagner ? » Ce défi supposé constitue pour eux le meilleur des stimulants. En second lieu, par nos efforts, nous élevons malgré nous la norme moyenne (pas si moyenne que cela) du travail du groupe, et il nous faut à nouveau courir après un idéal devenu supérieur à ce qu'il était. Dans leur égoïsme, les infatigables pensent rarement aux traînards qu'ils exécutent et poussent vers la porte de sortie. Je n'ai jamais observé l'un d'eux proclamant à son patron : « Vous tiendrez compte de mon surcroît de services rendus. Il compensera le déficit de certains de mes camarades. »

Nul ne peut vaincre ou mettre à la raison les infatigables. Dans une société policée comme la nôtre, les employés n'osent plus rosser et intimider « les jaunes », ceux qui pourrissent le métier. De tels procédés sont réputés archaïques, au même titre que les grèves sauvages, le Saint Lundi, les casquettes et le tricot de corps, la java, les discours politiques, le Vel' d'Hiv, l'occupation des usines au son de l'accordéon. Seule la machine peut rabattre leur prétention et parfois les pousser à leur tour en direction de la porte de sortie.

Autrefois, les hommes et encore davantage les femmes furent à la peine. Celles-ci cumulaient souvent un travail à l'extérieur et des tâches domestiques. Il leur arrivait souvent de se lever tôt et de se coucher tard. À la ferme, elles entreprenaient au battoir d'énormes lessives. Elles se rendaient à pied au bourg, pour la subsistance de la semaine, car il n'était pas possible de vivre en totale autarcie. Le travail de l'usine déformait les corps, détériorait les bronches et affectait les individus de telle ou telle maladie propre à l'activité. Ils atteignaient souvent la retraite avec un corps délabré et rendaient l'âme au terme de quelques mois de repos. Mais les hommes ne se complaisaient pas dans ce labeur excessif. Ils le considéraient comme une fatalité à laquelle ils ne pouvaient se soustraire et ils enviaient la condition des rentiers – qui ne serait jamais la leur.

Ce qui est nouveau, c'est que l'agir (qui dépasse les frontières du travail) apparaît aujourd'hui comme une valeur supérieure, comme si, faute d'agir, un individu s'exténuait et disparaissait. De ce fait, les rêveurs, ceux qui contemplent ou qui prient, qui aiment silencieusement ou qui se contentent du plaisir d'exister, dérangent et sont stigmatisés. Les penseurs, les idéologues reconnus ont opéré un glissement considérable. D'un exercice nécessaire à la constitution de notre personne, ils sont passés à un éloge de l'action, quelle qu'en soit la nature.

Les seniors veulent rattraper le temps perdu durant leur vie professionnelle. Le programme est immense et suppose une réserve inépuisable d'énergies. De fait, ils peuvent se passionner pour toutes sortes de domaines et y manifester des aptitudes réelles : des polyvalents, des polyglottes, des polytechniciens. La pêche au gros (au thon) et la pêche en rivière (à la truite), les langues orientales et les langues amérindiennes, les langues vivantes et les langues mortes et celles qui ne sont plus parlées que par une centaine d'hommes sur cette terre, le V.T.T., la bicyclette classique, le motocross, l'aventure humaine de la préhistoire, celle de nos ancêtres les plus incertains (l'*homo erectus*...) jusqu'aux extraterrestres de demain, le maniement du houx, de la serpe, et le culte des machines électroniques les plus sophistiquées.

Oserais-je me plaindre de cet hyperactivisme, préférerais-je les voir reclus, perdus dans des pensions de retraite ? Certainement pas. Je souhaiterais seulement qu'entre deux voyages en Extrême-Orient et à New York, entre deux séances de gymnastique et de danse, ils trouvent aussi le moyen de penser enfin à eux-mêmes, car ils n'en auront pas eu l'occasion dans leur vie d'adulte. Non point pour sombrer dans la nostalgie mais pour qu'ils s'interrogent sur des questions essentielles : qui fus-je ? qui suis-je ? quand ai-je trahi ? quand ai-je assumé ma destinée ? – dans un face-à-face courageux avec eux-mêmes et leur condition humaine. Pour entretenir la mémoire de ceux qui les aimèrent et qui sombreront à jamais dans les ténèbres quand ils ne seront plus de ce monde pour conserver leur image.

Le loisir, loin d'échapper à pareille fébrilité, l'exalte. J'évoque, sur le mode de la parabole et non de l'anecdote, les vacances de naguère. Une famille s'installait dans un meublé pour une quinzaine de jours. Durant la première journée, elle déballait les valises, puis chacun essayait d'aménager son propre territoire. Ouvrir tardivement les volets pour respirer l'air océanique, apercevoir les brumes ou les éclairs du soleil, s'en émerveiller, déjeuner à loisir sur une table bancale : voilà dont on ne se lassait pas et qui occupait la première semaine. La famille se rendait dans une sorte de magasin fourre-tout. Elle y achetait des bricoles : une canne à pêche, une bouée, des lunettes de soleil. On essayait les maillots de bain, on hésitait à se rendre sur la plage dans un étrange et nouvel accoutrement. La promenade aux étoiles sur la digue était de rigueur, puis l'on s'apercevait que déjà une première semaine était passée. Il y avait encore la journée consacrée à une promenade dans l'arrière-pays et une autre à l'envoi des cartes postales et une autre à narguer une pluie qui, même en Bretagne, n'était pas de saison... et l'ultime journée où il fallait à nouveau faire les bagages et remettre de l'ordre dans le meublé.

La personne ou la famille qui se rend dans un club pour des vacances d'hiver est accueillie à 7 heures du matin au quai de la gare ou des bus. Après un petit déjeuner copieux, elle est projetée sur les pistes. Une pause a été prévue aux environs de 14 heures en haut de la station et l'on met un point d'honneur à emprunter les derniers télésièges ou téléphériques. Sur les pistes elles-mêmes, le moniteur imprime un rythme d'enfer. Malheur à celui qui ne le suit pas, il rétrogradera du cours 2 au cours 3 ou 4 ! Les animateurs les reprennent en main après le repas du soir. À la fin du séjour, il convient de déguerpir aussi vite que l'on est arrivé, de se montrer assez habile pour ne pas être submergé par la vague de la semaine suivante, faute de quoi valises, paires de skis et enfants risquent de s'interchanger.

Il fut question d'aménager une société du loisir, les machines accomplissant désormais une bonne part du travail humain. Des sociologues, des utopistes comme André Gorz composaient de nouveaux emplois d'un temps libre. Ils n'imposaient rien, mais leurs propositions trahissaient un certain air de fermeté. Les journées de ces citoyens d'une nouvelle culture étaient remplies d'activités multiples et prenantes, à tel point que notre société actuelle paraissait refléter un farniente sympathique. L'hypothèse d'un individu vaquant mollement à ceci ou à cela n'avait pas été envisagée. Certes, Marx avait déjà conçu une société où chacun serait à son heure chasseur, penseur, pêcheur... mais son texte avait une allure pastorale et ne laissait pas présager un pareil forcing.

Pour m'éclairer davantage, je réfléchirai sur les itinéraires de Dieu le Père et du Christ. Je ne sous-estimerai pas le labeur et les résultats de Dieu le Père : l'eau, la terre, le ciel, les séparer de leur confusion originelle, les étoiles ; ne pas oublier le monde poisson, le monde oiseau, produire les fondements de ce qui serait plus tard l'Australie, l'Asie, les Alpes et, enfin, merveille des merveilles : Adam. Ce n'est pas peu de chose et les grands travaux de nos monarques, de Xerxès à Louis XIV et François Mitterrand, pâlissent au regard de cet immense chantier. Mais Dieu jouit d'une pause (qui n'en a pas fini) le septième jour et je me remémore le contentement de Dieu le Père, parce qu'il était satisfait de son œuvre et ne pressentait pas encore les bavures postérieures, mais aussi parce qu'il prenait enfin du repos et pouvait à loisir lisser sa barbe et endosser une tunique blanche impeccable. La joie de contempler son œuvre, comme un bon ouvrier à la fin d'une journée de travail, lui parut plus gratifiante que de brasser des pans entiers de ce qui n'était pas encore l'univers.

Les peintres, les prédicateurs ont souvent représenté le chemin de croix du Christ. Sa croix fut lourde à porter, même si la montée du Golgotha nous paraît modérée. Pour le reste, il mena une vie inspirée de vagabond et incita ses disciples à faire de même, à ne plus se livrer à leur métier de charpentier ou de pêcheur. Il accomplit ses prodiges sans efforts, comme dans un rêve, et c'est bien cela l'état de grâce. Le monde cesse de nous être hostile, il suffit de lui parler poliment pour qu'il se plie à nos souhaits. Tandis que d'autres, par une mer tourmentée, s'échinent à regagner le rivage, au péril de leur vie, que des nageurs plus professionnels se démettent l'épaule après des milliers de kilomètres d'entraînement, lui, il marche en douceur sur les eaux. Autrefois les boulangers se levaient fort tôt pour pétrir la pâte et, leur corps ruisselant sous la chaleur, buvaient parfois plus que de raison. Sans avoir à mettre la main à la pâte, le Christ multiplia les petits pains. Que de soins attentifs pour que la vigne nous donne des grappes de qualité. Et à grands coups de soins intensifs, une équipe de chirurgiens tente de maintenir en vie un malade. Le Christ se contenta d'ordonner : « Lève-toi et marche » et Lazare marcha. De son hiver et de celui des apôtres, il n'est jamais parlé. J'imagine qu'ils firent relâche – et la Palestine n'est pas si longue à parcourir. Mais quel patron, quel éducateur et même quel homme de religion osera nous demander d'imiter le Christ de cette manière ?

J'ai décelé la complicité entre les cracks et les cancres. Parce que les extrêmes se touchent, parce qu'ils entretiennent tous avec la vie scolaire un rapport distancié, les uns en raison de leur facilité, les autres par désintérêt. Le surdoué me paraît la figure la plus exemplaire d'un tout autre profil : il faut aller vite et mettre au plus tôt à mal ses concurrents. Il progresse avec une telle célérité qu'il laisse derrière lui ses petits camarades et se retrouve seul. Bientôt il aura dépassé ses parents, ses maîtres. Il ne lui reste plus qu'à recevoir le Nobel et à disparaître de cette terre où il ne trouve plus de partenaire à sa mesure. Selon une logique impitoyable, l'existence du surdoué suscite et désigne celle de sous-doués.

Mais n'est-il pas dans l'ordre des choses qu'il y ait des meilleurs et des médiocres ? Le crack suivait un parcours différent et moins inhumain. En vertu de ses qualités, très souvent il ne s'acharnait pas au travail. Il se tenait, sans peine, à la tête de la classe. Il s'amusait parfois à ne pas s'impliquer dans une discipline et à se mêler au peloton. Il prenait plaisir à collectionner des notes quelconques et au troisième trimestre il terminait en tête du sprint final. Loin de vouloir triompher dans les matières majeures, celles qui lui assureraient une brillante carrière, il se passionnait pour le jeu d'échecs ou le tennis. Le pli impeccable de son pantalon golf lui importait plus que ses performances scolaires. Ses parents, loin de le propulser au-devant de la scène, étaient quelque peu gênés par le talent de leur enfant. L'excellence (l'excellent, le *kaloskagathos*) nous rapproche plutôt d'Ulysse, de Montaigne, de Rabelais que d'une machine électronique capable de calculer à chaque instant l'état de l'univers.

Mon accès de colère à l'égard des infatigables a-t-il un sens ? Quand j'ai pris connaissance des efforts déployés par notre organisme pour nous maintenir en vie, j'ai douté du bien-fondé de mon procès. Au repos mon cœur bat environ 180 000 fois et charrie 8 600 litres de sang par jour, soit 15 tonnes – et j'ai besoin de 12 000 litres d'air. De quoi m'égaler aux géants rabelaisiens ! À chaque éjaculation, 180 millions de spermatozoïdes sont expulsés. Tandis que je crois poser un regard tranquille sur le monde, mes cils battent 11 500 fois par jour. La nuit n'interrompt pas cette fébrilité, s'il est vrai que nous y effectuons en moyenne trente changements de position. Mais y a-t-il lieu d'en tirer vanité ? Notre organisme serait une usine qui ne cesse de travailler, capable chaque jour de prouesses étonnantes : autant d'exploits qu'il renouvelle en dehors de sa volonté. Et cette remarque change tout à l'affaire. Il nous est impossible de faire relâche, d'invoquer une quelconque trêve dominicale. Quant aux sécrétions, je ne me sens pas très glorieux de sécréter en moyenne un litre de salive, un litre de bile que je vidange (telle est l'expression) dans la vésicule biliaire puis dans l'intestin. Grâce à notre constitution humaine, la France entière produit journellement 8 millions quatre de kilos d'excréments, soit environ le poids de la tour Eiffel. Une seule note positive : je perds au-delà de quarante ans 20 000 neurones par jour, sur un capital de départ de 14 milliards. Il m'en reste assez pour écrire ces quelques pages.

Comment entendre cette fébrilité journalière ? Nous ne mettons pas l'accent sur les facteurs socio-économiques, qui ont leur importance. Nous nous risquerons à une interprétation d'ordre idéologique – et de surcroît plurielle. Je crois y voir paradoxalement un effet de notre morale des devoirs, lesquels se sont multipliés au fil des ans. Ainsi on nous a appris que nous avons des devoirs à l'égard de notre corps. Nous n'avons plus le droit de l'abandonner à ses propres ressources, qui cependant ne sont pas négligeables. Nous devons l'entretenir, le protéger, l'embellir, et ces trois finalités ne sont pas peu de chose. Elles occuperaient tous nos loisirs si nous devions mener à bien leur accomplissement. On en dira de même du sexe, un bougre qui ne cesse de revendiquer, de nous bouder, de se montrer de plus en plus exigeant. Il n'est pas question de négliger les plantes, les animaux, la nature, les villes, le passé qui risque de s'écrouler faute de mémoire et de soins, l'avenir qui avance vers nous en boitillant. Nos ascendants, mais aussi nos descendants et les enfants de nos descendants, ont besoin de nous. J'avoue que nous fûmes bien négligents à l'égard de la terre, tels des enfants, et que cette prise de conscience me paraît honorable. Elle implique un effort sans précédent dans l'histoire de l'humanité, d'autant plus qu'à ces devoirs s'ajoutent ceux que nous avons à l'égard de nous-même : se réaliser en faisant le plus grand nombre d'expériences possibles. Or il se trouve que les possibles, grâce aux progrès de la technique, ont augmenté considérablement. Nous n'avons pas le droit de murmurer « mais c'est impossible ».

Sartre avait pris acte de cette situation : « Nous sommes responsables de tout devant tous. » Une telle formule, si on la prend à la lettre, peut nous sommer d'en faire toujours davantage ou, à l'inverse, nous décourager, une tâche aussi infinie n'étant pas à la mesure dc nos capacités. Dans le premier cas, le surhomme n'est plus un idéal incertain, contestable, réservé à une élite. Bientôt la plupart d'entre nous auront passé le cap de l'humain, par la taille, l'intelligence, la volonté et la capacité à faire. Déjà les nouvelles générations manifestent une adresse extraordinaire à manier les outils de l'informatique et de la communication. Nous sommes en voie de bricoler astucieusement le corps humain et de reproduire ses pouvoirs.

La lenteur apparaîtra comme la dernière des valeurs archaïques car, dans tous les domaines où s'exerce le génie humain, il y aura lieu, au premier chef, de réagir, de s'informer, de voir, de programmer toujours plus vite. Au regard de cette nouvelle race, les infatigables que je dénonce apparaîtront comme des paresseux indécrottables, presque des handicapés psychomoteurs.

Des actes aussi ordinaires que marcher, courir, toucher, partir, voir, entendre ne vont pas de soi. Ils ne prennent forme qu'à la suite d'exercices répétés et dont l'existence nous échappe car ils sont souvent inconscients. À la suite de cette analyse fondée sur d'innombrables expériences, on a élaboré un éloge du travail, sans trop bien distinguer le travail incessant de notre esprit, de nos sens, et celui auquel nous sommes soumis dans un système social déterminé : travail qui peut être également aliénant ou fort peu enrichissant. En exaltant l'agir sous sa forme la plus large, on l'a étendu en dehors du monde et du temps de travail. En particulier, il se donne comme une vertu majeure là où l'on parlait du repos et non point du loisir, et il envahira tous les âges de la vie. L'adolescence ? C'est une période propice à l'acquisition de savoirs et il ne s'agirait pas de la gâcher en vagabondages. Nous sommes à la lisière du monde du travail : n'y pénétreront que les plus informés et les plus nantis de connaissances ; en outre, les jeunes gens semblent aspirer à entrer au plus vite dans le monde des adultes. La maladie ? Il était bon d'attendre que le soir tombe pour se fondre dans la pénombre afin de goûter à la fraîcheur des draps quand ils avaient été changés et d'entendre, de l'extrémité d'une chambre, le reste de la famille s'affairer. Il est exigé aujourd'hui de combattre le mal à la manière d'un ennemi. Nous disposons d'une batterie d'armes offensives et nous souhaitons la remise en service de celui que nous n'avons pas eu la chance de considérer comme un compagnon. Qui aura le privilège de quitter au plus vite une clinique après une opération à cœur ouvert sera applaudi pour sa performance. L'homme qui tarde à guérir ternit l'image de la médecine et le corps médical le soupçonne de ne pas coopérer (cette collaboration, elle aussi, est devenue une vertu majeure) et certains patients – devons-nous les nommer encore ainsi, puisqu'il leur est demandé de réagir, de dégainer leurs propres armes psychosomatiques ? – souhaiteraient parfois s'attarder dans ce milieu au charme particulier, disons exotique, qui s'appelle le service hospitalier.

Je reviens sur la destinée des personnes âgées au nombre desquelles je figure. Elles avaient enfin acquis le droit de se reposer. S'asseoir sur un banc exposé au soleil, entreprendre une partie de cartes interminable, considérer gravement au café un verre de blanc que l'on buvait par petites gorgées, trottiner du banc à la maison, entrouvrir une blague à tabac pour confectionner délicatement une cigarette, promener les yeux sur la page d'un journal et en particulier les notices nécrologiques. Et pour certaines femmes, tricoter, mettre un tricot, un châle, l'ôter, l'endosser à nouveau (car la température varie d'une heure à l'autre), écosser les haricots blancs, entasser leurs cosses dans un papier journal, puis les vider dans une poubelle : voilà qui tapissait humblement, glorieusement, leurs journées vespérales. Les seniors leur ont succédé et ils ont bon pied, bon œil. On leur suggère d'accomplir toutes sortes d'exploits.

Je plains l'infatigable de ne pas connaître une certaine forme de fatigue, non point celle qui nous surexcite, perturbe notre sommeil, nos relations avec autrui, mais celle qui peu à peu envahit notre corps et en procède. Nous pressentons le moment où, enfin, la prise de nos mains se relâchera et où nos yeux se plisseront, dans une totale confiance au monde parce que nous avons mené à bien notre tâche et surtout parce que la fatıgue (comme l'amour, comme la faim et le manger) est œuvrc dc chair, retour à soi et oubli des contingences car, à l'instar des autres plaisirs, nous l'avons fait naître peu à peu en nous. Cette fatigue-là récapitule et commémore et inscrit à nouveau dans notre chair ce qui fut conquis dans l'effort. C'est pourquoi un visage, un corps fatigués peuvent sembler sublimes. À nouveau la chair, une chair occultée dans notre culture, réapparaît avec une émouvante sincérité en ces instants où l'esprit ne se dérobe pas mais se mêle à la houle des muscles.

FLÂNER

Flâner, ce n'est pas suspendre le temps mais s'en accommoder sans qu'il nous bouscule. Elle implique de la disponibilité et en fin de compte que nous ne voulions plus arraisonner le monde. Les marchandises, nous les contemplons sans avoir nécessairement le désir de les acheter. Les visages, nous les regardons avec discrétion et nous ne cherchons pas à attirer leur attention. Avancer librement, lentement dans une ville pressée, n'attacher du prix qu'à la merveille de l'instant dans une société marchande suscite ma sympathie. La flâneuse a quelque chose de souverain, de fluide dans son allure. Le regard curieux, avisé, mobile du flâneur respire l'intelligence et tous deux me paraissent agréables à considérer.

Un excès de vigilance nuit à la flânerie. Lorsque l'on observe trop les rues et les visages, ils deviennent étranges, ils se métamorphosent en autre chose qu'eux-mêmes. Le flâneur perd l'immédiateté de son bonheur, lui qui se trouve dans un état que je crois plus proche d'une somnolence contrôlée que d'une vision critique. Ainsi, l'espace pour Georges Perec est un doute et non point cette présence à laquelle nous nous abandonnons sans vouloir en déchiffrer, avec trop d'acuité, les traits. « Noter ce que l'on voit. Ce qui se passe de notable – sait-on voir ce qui est notable ? Y a-t-il quelque chose qui nous frappe ?... S'obliger à voir plus platement... jusqu'à ressentir, pendant un très bref instant, l'impression d'être dans une ville étrangère ou, mieux encore, jusqu'à ne plus comprendre ce qui se passe ou ce qui ne se passe pas, que le lieu tout entier devienne étranger, que l'on ne sache même plus que ça s'appelle une ville, une rue, des immeubles, des trottoirs... » Quand une ville cesse d'être une évidence, nous avons rompu avec elle l'arbre vert du contact, nous remettons en question la foi originelle que nous lui portons. Il vaut mieux porter un regard suffisamment averti pour découvrir une nature ignorée des autres hommes, mais aussi suffisamment discret pour ne pas chercher à pénétrer derrière les apparences.

Mon flâneur n'a pas le sentiment de figurer au nombre des élus, de participer à une entreprise où les prodiges et les lieux sacrés se multiplieraient – à la différence d'artistes inspirés qui déambulèrent dans une ville comme dans une forêt prodigieuse. Ainsi André Breton : « Je ne sais pourquoi, c'est là, en effet, que mes pas me portent, que je me rends presque toujours sans but déterminé, sans rien de décidant que cette donnée obscure, à savoir que c'est là que se passera cela. » Mais alors, si une ville n'instaure pas avec nous de fulgurantes correspondances, si nous ne trouvons pas en elle l'occasion d'exercer notre pouvoir de divination, pourquoi accorder une réelle valeur à une action presque banale ? En fait, le bonheur de la flânerie ne surgit pas de ce que nous dénichons par le regard mais dans la marche elle-même, dans une respiration libre, dans un regard que rien n'offusque, dans le sentiment d'être à l'aise en ce monde, comme s'il était légitime que nous en retirions l'usufruit.

Je songe cependant que cette aisance n'est pas toujours le fait d'un état d'âme mais qu'elle découle de conditions sociales privilégiées. Une sorte de luxe. Tandis que les travailleurs s'affairent, se bousculent, certains êtres échappent à une telle malédiction. À la campagne, nous éprouvions ce même sentiment à la vue de ceux qui se promenaient tandis que, pendant l'été, nous courbions l'échine sur nos tomates. Certains de ces promeneurs bénéficiaient de vacances qu'ils avaient méritées. Il n'empêche que nous trouvions inconvenant qu'ils aient le loisir de parader et de nous adresser du chemin un petit signe amical.

Les hommes pressés – et tels sont les hommes chargés de responsabilités – ne flânent pas. Ils n'ont pas, disent-ils, de temps à perdre, et surtout leur saisie de la ville les en détourne. Qu'ils organisent des spectacles ou qu'ils cherchent à produire un autre espace, ils vivent dans la fébrilité, font face à l'urgence. Un animateur organise d'incessantes manifestations pour divertir les habitants, pour ne pas laisser tarir sa créativité, parce que la production du nouveau incombe à sa mission. L'urbaniste, quand il veut modifier les murs et les esprits, ne connaît pas de relâche à son action. La ville souffre de tant de maux : il y a lieu de s'occuper de chaque quartier mais aussi de l'image globale de la cité, que le moderne ne soit pas une pâle copie du passé mais qu'il ne choque point ! Il en faut pour les enfants et pour les personnes âgées, pour les indigènes et les touristes. L'urbaniste met en place des projets puis s'en détourne. La faute en revient à un pouvoir politique versatile – ou bien lui-même a-t-il vu trop grand ou trop modeste...

Mais peut-être aurait-il évité bien des mécomptes s'il avait pris le temps de s'ouvrir, lentement, aux exigences des lieux dont il a la charge, s'il avait accepté d'être humblement un flâneur éclairé de sa ville.

La promenade ne bénéficie pas de l'aura de la flânerie. Elle éprouve parfois le besoin de se justifier à l'aide de considérations hygiéniques : assurer une bonne digestion, emplir ses poumons d'un air que l'on décrète pur. Il me faut, pour la hausser au-dessus de ces médiocres justifications, la compagnie d'un ami avec lequel je ne suis pas en accord sur toutes choses et qui me force dans mes retranchements, qui excite mon admiration, ma colère. Puis j'associerai les détours et rebonds de nos discussions aux péripéties de notre parcours – à tel carrefour, à tel café et, si nous battons la campagne (ce qui est plus rare), à tel ruisseau, à tel fourré, à tel individu hagard au sortir d'un fourré. J'ai quelques amis aussi batailleurs que moi et les sujets qui nous opposent ne manquent pas. Tout est bon pour nous : la politique, la vie sociale, la métaphysique et même le sport.

De tels entretiens à ciel ouvert me paraissaient autrefois empreints de plus de fantaisie. Nous avions vingt ans. Ma jeunesse et celle de mes amis ne sont pas en cause. Paris, puisque nos déambulations oratoires se produisaient en cette ville, ménageait aux promeneurs plus de liberté. À certaines heures, à l'aube ou tard dans la nuit, la capitale presque déserte s'ouvrait tout entière, généreuse, exempte de toute retenue. Nous avons parfois épousé durant la nuit un rythme pendulaire, allant d'une colline à une autre, nous accordant une pause dans un café encore ouvert, découvrant en silence la naissance du jour sur une cité bien-aimée, puis reprenant souffle et parole. Aux alentours de 10 heures, nous décidions qu'il était temps de suspendre les hostilités et de nous coucher. D'ordinaire le périmètre de nos conversations était plus réduit. Il était rare que nous dépassions la porte des Lilas ou le boulevard Montparnasse. Nous circumnaviguions souvent autour du quartier des Halles, entre la rue des Archives et la rue Rambuteau. L'animation qui y régnait, loin de constituer une gêne, nous enfiévrait. Le soir, tandis que quelques feux s'allumaient, que des athlètes chargeaient ou déchargeaient des cageots de légumes, de fruits, nous avions, en parlant, le sentiment de participer à l'allégresse générale et de nourrir à notre manière l'incandescence des rues par le feu de nos discussions.

Les Halles ont disparu et, aurais-je par accident à nouveau vingt ans, nous ne nous enflammerions pas de cette façon. Il se produit tant de signes, de messages que nos propos ne pourraient se frayer un passage. Nous avions donc nos terrains de paroles, autour de la rue Montorgueil, de la rue Tiquetonne. Nous devions contourner l'étal des marchandises, prendre garde aux ménagères. Ce surcroît d'exercices corporels déliait encore davantage nos langues. Nous n'étions pas indifférents aux beaux quartiers. Nous nous enfoncions au milieu de façades cossues, d'arbres aux plantations régulières, ceux de l'avenue de

Breteuil. Le luxe entraperçu, la qualité du silence nous enveloppaient de leur confort. Nous pouvions tout à loisir refaire le monde, y compris le sort de ces gens riches qui, pourtant, nous accueillaient d'une certaine manière. Quelques ponts de la ville nous aidaient à nous taire et à nous reposer. Nous regardions la Seine. Dans l'immensité de l'ouverture apparaissaient des pans entiers de Paris et de surcroît un ciel qui tout à coup n'était plus masqué par la frondaison des immeubles. N'était-il pas vain de bavarder alors que la beauté de l'univers aurait dû suffire à notre bonheur ? Il faut croire que nous n'étions pas d'une nature tranquille. Ainsi réconfortés, requinqués, nous nous éloignions du fleuve et repartions de plus belle vers des dialogues interminables.

Je me demande aujourd'hui quel était l'objet premier de ces veillées de paroles ? Nous ébattre dans une excitation intellectuelle qui, l'âge venu, nous paraîtrait surprenante ? ou le plaisir d'aller un peu plus au-delà dans la connaissance d'une ville privilégiée ? Avec mes camarades, nous choisissions quelques jardins, tels le Luxembourg ou le parc Montsouris, à des heures de faible fréquentation. Nous parcourions des allées, des contre-allées que, pour ma part, je distingue des chemins. Elles sont beaucoup plus civilisées, mieux protégées par les arbres du vent, du bruit, du regard des autres. Leur intimité nous permettait de mieux peser nos mots, d'écouter ce qui nous était adressé, d'y réfléchir. Surtout, à la différence d'un chemin, elles invitaient à la conversation ou à la méditation et non point à un début d'exil. Ville ou jardin ou quartier, je retrouve une qualité commune dans ces lieux : en quelque sorte pourvus d'une clôture, point de ligne de fuite, point de possibilité de dispersion. En revanche, des emplacements reconnus ponctuaient le flot de nos discours.

Je choisissais rarement la campagne. Celle-ci m'incline plutôt à la rêverie, laquelle n'a que faire des arguments, des objections, des raisonnements. J'ai pu m'y entretenir avec moi-même. En effet, le soliloque se situe à mi-distance du dialogue philosophique et de la rêverie. Nous grommelons nos pensées plus que nous ne les articulons. Je me suis livré à de tels monologues en battant la campagne, une tierce personne me paraissant inutile pour réfléchir. Elle m'eût retardé par ses propos dans le cheminement de ma pensée et, en voulant triompher de mon ami, j'eusse perdu de vue la recherche de la vérité.

Est-il juste d'écrire qu'avec mes camarades je flânais ? La flânerie est souvent conçue comme une activité qui ne prête pas à conséquence et qui a pour seul effet de mettre un peu de rose aux joues de ceux qui s'y adonnent. Il est vrai que nous ne dérivions pas dans l'insouciance, qu'à la différence d'un voyageur pressé ou d'un travailleur, nous ne nous fixions pas de but, que le chemin parcouru, reconnu, importait plus que le terme dont nous n'avions pas une idée précise. Seulement, à la différence d'un flâneur frivole, nous avions le sentiment que nous vivions une aventure mémorable et que nous mettions en jeu une partie non négligeable de notre être. Notre légèreté n'excluait pas une certaine gravité.

Nous irions à l'extrême de nous-mêmes et nous l'éprouverions grâce à une fatigue librement consentie et saluée avec les égards qu'elle méritait. Pour être tout à fait juste, il nous fallait aussi et surtout « fatiguer » la ville, non point par cruauté ou pour la prendre en défaut, mais pour qu'elle nous livre enfin son vrai visage, qu'elle refusait par ailleurs à la plupart de ses habitants ou de ses passants.

J'avoue que, revenu à la solitude, j'ai parfois cédé à l'emphase. Le spectacle de la nature quand il est sublime donne à mes pensées une tonalité religieuse. Je médite sur la fragilité humaine, sur la gloire éphémère des empires, sur l'imminence de la mort. La cité, qui dans son essence est laïque, me prédispose davantage à une réflexion menée selon l'ordre de la raison.

J'aurais aimé me promener en compagnie du neveu de Rameau. Quelle impertinence, quelle fantaisie dans les paroles mais aussi dans le vêtement, la conduite, comme si la pantomime des gestes faisait concurrence à un verbe prodigieux, comme si la rue, par ses imprévisions et ses accidents, donnait un surcroît de talent au galopin ! J'attirais à moi des personnages extravagants. Il leur manquait cependant une imagination vive, prenant appui sur des mots, sur des sensations, sur des images. Tout cela étant concédé, pouvons-nous encore avoir la conscience et le bonheur de manier des idées dangereuses en un temps où tout est permis, du moins dans le domaine de la pensée ? Pouvons-nous avoir l'illusion d'inventer en matière de provocation alors que l'expérimentation a été codifiée et se soumet à des modèles rationnels ?

ÉCOUTER

Écouter l'autre devrait au moins avoir pour conséquence de ne pas nous écouter : par exemple ne pas « être à l'écoute de notre corps » comme on nous le conseille. Nous risquons de suivre ce conseil perfide, car, de par son statut, le corps est à mi-chemin de l'objet et du sujet. De l'objet : *et* il n'est pas tout à fait nous-même et nous l'avons en charge ; du sujet : et il peut donc nous entendre, poursuivre avec nous un dialogue. Par le fait de « l'écouter », nous ne nous contentons pas de soulager l'autre, car il doit exister des remèdes, des thérapies, des cures de sommeil pour obtenir un tel effet. Nous le transporterons au mieux de son être. Il usera de mots, il formulera des pensées qui le surprendront lui-même. Les acteurs se félicitent de la présence d'un public qui leur a permis de jouer avec le plus de justesse ou de brio. Mais il s'agit souvent de professionnels ou, pour le moins, d'une relation institutionnalisée. La rencontre d'une personne qui cherche à dire quelque chose et d'une autre personne qui s'apprête à l'entendre relève davantage de l'événement, de ce qui par chance s'est produit et n'était pas exactement attendu. À mon sens, il convient de se garder de vouloir répéter, sauf urgence, le bonheur d'une pareille rencontre. Ce fut un hasard, il fallut qu'en cette circonstance il ait eu le courage de dire et que j'aie été disposé à véritablement entendre.

Ne nous étendons pas outre mesure sur la dimension morale, psychologique de l'« écouter » – une expression lourde à laquelle je me suis rallié faute de mieux. Cherchons à voir ce qui le rend possible, quel est, quel serait son statut ontologique. J'ai interrogé, on répond à mon interrogation. Le dialogue, même dans sa forme rudimentaire, a instauré un ordre radicalement différent de celui des déterminations mécaniques où une cause produit un effet, et il existe en fait des paroles, celles de l'intimidation, de la répression, d'un savoir tout-puissant, qui s'inscrivent dans le registre de la causalité. Quand je parle à l'autre sur un mode interrogatif (qui ne procède pas nécessairement par des interrogations explicites), je le considère comme une liberté, et du coup je réaffirme, j'étaye son statut d'être libre. Je m'adresse à lui à la seconde personne, infiniment proche et lointain, distrait ou disponible, et non comme un élément pris dans la succession des séquences objectives. J'attends beaucoup de lui : qu'il m'informe et, au-delà de toute information, qu'il fasse entendre son chant propre, celui que nul autre ne peut formuler à sa place ; en même temps, je ne récuse pas l'hypothèse du mutisme ou d'une réponse stéréotypée qui ne vaut pas mieux. L'autre a toujours la possibilité de ne pas répondre à mon attente.

Écouter ne constitue pas le pôle passif de l'échange, comme si chacun d'entre nous prenait à tour de rôle l'initiative. Il me faut beaucoup de vigilance et d'intériorité créatrice pour susciter cet espace d'accueil dans lequel les propos de l'autre pourront prendre place.

Recevoir, se montrer capable de recevoir, nécessite autant d'initiative et de générosité que donner, à tel point que les égoïstes, les infirmes de l'échange, ne sauront jamais écouter. Il ne suffit pas qu'ils ouvrent toutes grandes leurs oreilles ou qu'ils cherchent à comprendre ce qui leur est dit. Il leur faudrait d'un geste superbe instaurer un vide stellaire dans lequel les mots de l'autre voltigent, papillonnent avant de se loger à leur aise. De même nous nous effaçons devant les choses pour qu'elles emplissent notre regard. À la suite de quoi se produit une sorte d'expérience merveilleuse. Une pensée autre que la mienne prend sens en moi. Je ne la traque pas, je ne cours pas après elle, je ne l'interprète pas du dehors comme le voyageur à la recherche de balises sur une terre étrangère. Si, par quelque côté, je ne procédais pas de concert avec elle, si je ne l'anticipais comme elle s'anticipe elle-même, je m'épuiserais dans une course-poursuite invraisemblable – ce qui ne se produit jamais quand l'écoute se perpétue dans des conditions convenables. Ainsi, en me démettant je m'enrichis, en oubliant de prendre l'initiative et d'aller au plus pressé, en acceptant les intempéries, les temps morts et les silences, je m'augmente d'une autre expérience.

Autour de moi, on parle d'interaction, d'interactivité, d'Internet, de possibilités nouvelles de diffusion, de stockage de l'information, que les nouvelles technologies mettent à notre disposition. Même Alain Minc (cité par Marc Guillaume) constate qu'« un étudiant américain qui ne serait pas branché sur Internet et qui ne disposerait que des ouvrages de sa bibliothèque se trouverait fort démuni ». Je me garderai bien de tempérer un tel enthousiasme. Je fais seulement remarquer que nous nous éloignons de l'écoute. Nous avons affaire à deux, à plusieurs individus qui, campés sur leurs positions, échangent des informations, plus rarement des émotions. Ce n'est pas par hasard que la notion d'agir revient souvent dans ces expressions – on en oublie la richesse du pâtir, du laisser-être, du laisser-advenir. Nos amis se félicitent de pouvoir se brancher sur un Japonais, un étudiant de l'Ohio, et d'être à leur tour sollicités de tous les points, de tous les réseaux du globe. Quelle peut être la qualité d'un échange qui débute sous ces fâcheux auspices et aussi brutalement ?

J'aime qu'un visiteur, même s'il m'est proche, demeure sur le seuil, qu'il frappe à ma porte, que j'aie à deviner le sens de sa visite, que lui-même prenne le temps de savoir pour quelle raison il s'est rendu chez moi – parfois en vertu de la seule amitié. De mon côté, je ne me permettrais pas de m'introduire chez autrui sans préalable. Ce n'est pas par méfiance à l'égard de l'inconnu, désir exacerbé de préserver ma vie privée. Je crois plutôt que nous ne sommes pas immédiatement en état d'amitié ; même des êtres qu'une longue entente unit doivent, à chaque rencontre, réinstaurer leur amitié. Une certaine durée est nécessaire pour nous approcher d'un autre être. C'est la grande leçon de l'hospitalité. Nous avons à rendre au visiteur les honneurs qu'il mérite et cela exige du temps. Quant à celui qui arrive auprès de nous, il doit se présenter : ce n'est pas là un contrôle d'identité, mais il lui faut peu à peu se pénétrer de ma demeure, de mon intérieur, de mon âme, pour devenir en quelque sorte mon semblable. Sous certaines précautions, comme l'on disait chez les gens de peu qui, d'instinct, avaient adopté cette forme royale de la politesse.

À l'évidence j'ai décrit une forme idéale de l'écouter, lequel supporte bien des malentendus et parfois de la violence. Je feins le retrait, non point pour laisser être l'autre jusqu'à moi, mais pour l'épingler quand il sera à la bonne distance, celle qui me permet de le fusiller – ou alors, par excès de bonne volonté, je m'endors dans la mièvrerie, nous échangeons nos fadeurs et nous nous admirons d'être tous deux complaisants, l'un d'avoir la patience d'écouter, l'autre la générosité de se confier.

Ne pas écouter ou, ce qui revient au même, écouter distraitement, c'est comme tourner le dos à quelqu'un qui nous demande un service. Cependant je ressens parfois un malaise en présence de ceux qui ont pour vocation d'écouter les autres, tous les autres ; sans doute voudrais-je qu'ils n'écoutent que moi. J'adhère à la formule de Pascal : « Le Christ a versé pour toi telle goutte de sang » – en l'occurrence, il est sorti de sa réserve, de son indifférence pour toi seul. J'impute d'autres causes à ma réticence. On peut user ses yeux à force de lire. À trop écouter, n'use-t-on pas sa disponibilité – ou plutôt ne devient-on pas peu à peu un être d'écoute raviné par tant de paroles de détresse ou de bavardages ? De fait, ces gens-là cheminent dans le scrupule, courbés sous le poids des propos si bien entendus. Tout leur corps suinte – que l'on me pardonne ce verbe – d'humilité, de don de soi, dans l'attente d'un nouveau désespoir, d'un nouveau cas. J'aimerais les surprendre en colère, en état d'égoïsme, voire de méchanceté. Que la vie, qui oublie dans nos excès ce qui est dû aux uns et aux autres, éclate en eux et les incite à des moments d'exaltation parfois cruelle.

Et pourtant, un homme soucieux de son salut intellectuel ne doit-il pas s'abstenir d'écouter ? En s'accumulant, les paroles d'autrui risquent d'encombrer son esprit, qui perdra en fraîcheur et en vigueur. Ce n'est pas là un manque de curiosité ou de générosité à l'égard de notre prochain. La même personne, dans le même souci, se retiendra à son tour de parler, de multiplier des paroles convenues dont on ne se débarrasse pas et qui nous tiennent lieu de pensées. Quant aux paroles plus exigeantes, plus rares, elles n'adviennent pas nécessairement au cours d'un entretien. Elles naissent après une période de latence. Il est vrai que l'on peut croire en une autre voie, multiplier de telles phrases pour qu'elles meurent d'elles-mêmes, et sur leur charnier construire, d'une langue sûre, sa pensée. Cet espoir me paraît risqué. Une personne de qualité sera-t-elle susceptible de se déposséder pour écouter l'un de ses semblables, puis revenir à elle-même après ces moments acceptés de démission ? Mais c'est à l'aune de ce modèle idéal que se mesurent les imperfections et les travers de cette attitude. Demeure, de toute façon, la merveille ontologique. Il est donc vrai que je peux faire le vide en moi pour accueillir l'autre, et ce vide s'institue grâce à un effort de tout mon être. Des philosophes, comme Ricœur, utilisent, pour rendre compte de cette expérience, une expression apparemment contradictoire, celle d'une « réceptivité active ».

Le sourire nous paraît plus engageant que l'écouter. Nous voyons naître le sourire, il redessine le visage, il éclôt avant de prendre forme. Durant un instant indécis, nous sommes inquiets à la pensée qu'il ne verra pas le jour et que notre proche ne nous en fera pas le don. Quand il survient, nous avons conscience que rien de fâcheux ne nous affectera de cette personne qui nous reconnaît comme son semblable ; le sourire que je perçois sur son visage s'accomplit une seconde fois sur notre propre visage. Toute cette composition charnelle manque, dans une certaine mesure, à l'écoute. Certes, je devine si l'autre est disposé à me prêter attention, mais je n'associe pas à ce point une attitude mentale et une manifestation corporelle. C'est pourquoi l'autre se croit souvent obligé d'exagérer une mimique pour m'avertir qu'il s'est rendu disponible. En outre, je n'aperçois pas ce phénomène de miroir. Il n'existe pas de rebond, de symétrie entre la chair de celui qui écoute et celle de celui qui parle.

Dans nos sociétés, pourtant démocratiques, parler et écouter occupent des positions dissymétriques qu'il conviendrait de modifier. Parle souvent celui qui a le droit de parler et qui de ce fait bénéficie d'un nouveau privilège. Écouter signifie suivre une injonction, s'y soumettre. En conséquence, à l'instar des Guayakis, nos gouvernants auraient le devoir et non plus le droit de parler : à l'aide d'une parole qui ne serait pas creuse et ennuyeuse, ils enchanteraient la communauté, ils l'assureraient que le pouvoir n'est pas tout à fait vacant. Quant aux sujets, ils ont le droit de ne pas écouter et non pas le devoir de tendre l'oreille. Tandis que leur chef parle, les Guayakis mangent, se taquinent, se reposent, et leurs chefs ne prennent pas prétexte de leur distraction pour cesser de parler.

UN ENNUI DE QUALITÉ

La vie moderne ou peut-être mon désordre intérieur m'ont plongé dans une tachycardie insupportable. Tout, dans une ville affairée, m'excite. Les foules, quels que soient mes efforts pour marcher à une allure convenable, m'entraînent avec elles. Je m'en détourne et ce sont les enseignes lumineuses des buildings qui m'adressent des œillades. La nuit, je plonge ma chambre dans l'obscurité et le silence. Mais la ville ainsi bâillonnée n'en continue pas moins de me harceler et j'entends distinctement ses battements. Ma main déjà maladroite à l'ordinaire échappe à mon contrôle. Je n'articule plus les mots. Je les concasse, je les recrache abjects, misérablement morcelés. Je me trouve en état de fébrilité mentale avancée. Il serait sage de modifier ma façon de vivre : prier, écouter autrui à loisir, contempler, m'abandonner à une rêverie bachelardienne. À défaut de recours aussi nobles, j'ai pressenti que l'ennui me tirerait d'affaire.

Il importe d'abord de ne pas se tromper d'ennui. Il existe un ennui noble, en quelque sorte métaphysique, qu'il convient de fuir. C'est celui d'un être pour lequel le quotidien dans sa mesquinerie apparaît dérisoire au regard de l'infini qu'il porte en lui. Il fait ainsi l'expérience du cafard, du néant, car bien mince est la distance qui sépare le peu de chose qu'il croit être et le rien. Les conséquences pratiques d'une telle conduite s'avèrent fâcheuses. Un tel individu, parce qu'il est condamné à porter la croix de la finitude, expire, hoquette, exige les soins dont on entoure un supplicié ou un moribond. Il réprime vertement son entourage quand celui-ci semble ne pas prendre en considération sa souffrance sublime, et la vigueur de ses réactions nous incline à croire qu'il n'est pas aussi exténué qu'il le prétend. Ennobli par la quintessence de son martyre, il se refuse aux tâches médiocres de la vie domestique et il les abandonne à ceux qui ont accepté de vivre parce que l'idée de l'infini ne les a pas visités.

Nous éviterons avec la même précaution une autre forme d'ennui. Aucun objet ne touche l'homme que cet ennui affecte. Il se montre capable d'en discerner l'intérêt, mais il lui faudrait s'élancer vers l'autre (un fruit, une personne, une façade) et cet élan lui manque.

C'est pourquoi il ne servirait à rien de lui présenter le spectacle le plus riche, les personnes les plus exquises. Il en a perdu le goût, à moins qu'il ne l'ait jamais eu. Il souffre de cette condition à laquelle il ne peut remédier puisqu'elle ne dépend pas de son bon vouloir. Autant reprocher à un aveugle de ne pas voir les couleurs ou à un aphasique de ne pas parler ! Une douleur physique ou morale, un deuil, un tremblement de terre ne l'atteignent pas. Quand il cherche à souffrir, ce n'est pas en vertu d'une inversion des valeurs mais parce qu'il espère enfin être affecté dans sa chair et réagir.

Je vous propose un ennui dans lequel on s'étire voluptueusement, par lequel on bâille de plaisir, tout au bonheur de n'avoir rien à faire, de remettre à plus tard ce qui n'est pas urgent. Vous vivez alors dans le sentiment de la non-urgence.

Ce n'est pas là une chance accordée à beaucoup. Il faut s'y préparer de très bonne heure. Elle échappera à l'enfant ronchonnant parce qu'il ne possède pas les jouets désirés ou qu'un petit camarade lui a fait faux bond ou qu'on lui sert à table des épinards. Par bonheur, je devine que vous avez traîné votre ennui dans un village banal. De votre grenier, vous inspectiez la route à la recherche d'un événement, le vrombissement d'une moto, une roulotte de romanos – et nul véhicule ne soulevait la poussière du chemin. À la fin de l'après-midi, vous étiez satisfait des heures passées à la fenêtre de votre grenier. Je relève un signe de bonne santé : vous demeuriez dans l'attente de la poussière sur cette route recouverte de bitume.

Malgré un début prometteur, vous n'êtes pas en état de grâce pour la vie, la grâce consistant à s'émerveiller de ses disgrâces. Une fois abandonné le grenier où vous vous penchiez, l'univers s'est emparé de vous, il vous a promis monts et merveilles : des magnétoscopes, un voyage à Rome, la Ville Éternelle, ou à Vienne au bord du beau Danube bleu, des nuits plus belles que vos jours, des jeunes femmes parfaites comme des « top models ».

Que la sagesse vous guide dans le choix de votre ville, de votre travail, de votre future femme, de vos amis. Si une ville trépide, fulmine, présente chaque matin un nouveau visage, programme sans cesse des activités culturelles, si tour à tour elle se barricade puis se rend, puis reprend l'étendard de la révolte, vous n'échapperez pas à la surcharge d'événements et vous y prendrez goût. Vous oublierez le temps délicieux où rien ne se passait, sinon une durée pure – pure parce que rien ne la troublait. Vous méconnaîtrez peu à peu ce que veut dire pureté, poésie pure (à la limite du silence), politique pure (à la limite de l'impouvoir), jeune fille pure (à la limite de la frigidité), religion pure (à la limite d'un Dieu si peu figurable que vous ne le rencontrerez jamais).

Perdant la retenue qui faisait votre charme, quand des jeunes gens en colère défileront, quand des foules façonneront une queue devant une salle de cinéma ou un musée, quand des foules se porteront vers un stade, vous leur crierez : « Attendez-moi, je suis des vôtres. Je veux brailler avec vous. Je veux piétiner avec vous les parquets d'un musée. » Ils vous entendront.

Sur le coup de 3 heures du matin, épuisé et ravi, vous aurez la faiblesse de prononcer : « C'est dingue », car vous aurez rejoint la foule innombrable des mal-disants et vous vous sentirez ainsi bien au chaud au milieu de phrases convenues en ajoutant des « quelque part », des « revisiter ».

Fuyez les agglomérations de cette espèce. Je n'ai aucune confiance dans les villes aussi turbulentes, tourmentées, oublieuses d'elles-mêmes et de leur âme. Je n'ose pas vous proposer une ville tout autre, celle-là creuse, ignorante, dépourvue d'attraits, seulement soucieuse d'un bon restaurant (rapport qualité-prix intéressant), où les prédicateurs ont oublié l'exemple d'un Bossuet ou d'un Lacordaire et où les femmes seront toujours inappliquées à leurs apparences. En présence de tant de médiocrité, vous suffoquerez, vous serez la proie d'un ennui veule auquel vous ne saurez échapper. Or l'ennui auquel je vous convie, il faut que vous l'ayez choisi, qu'il vous permette d'élargir votre espace de respiration, que votre exil ne vous ait pas été imposé par la vulgarité. Je vous conseille donc une ville d'eaux (pour le moins une cure thermale à Vichy, Vittel ou Aix-les-Bains, chacune de ces stations module à sa manière sa tempérance à exister), et il serait souhaitable que vous séjourniez dans le lieu qui convient le mieux à votre spleen. Le choix du logement importera et je ne peux pas présumer de celui qui vous était destiné : un logement meublé, une pension de famille, un hôtel modeste, déclassé, un palace. Réfléchissez avant de prendre une décision. À Aix-les-Bains, les palaces surplombent la ville, ils sont d'une autre époque, celle de l'abondance, des grandes fortunes. Matin et soir, vous longerez des pièces, des halls avant de vous rendre à la salle à manger. Cependant il existe des pensions de famille coquettes qui affichent sans cesse « complet », où l'on se heurte sans arrêt à d'autres pensionnaires et où les servantes ont de la peine à se frayer un passage au milieu des tables. Certaines se situent au bord du lac. Un léger brouillard envahit, le soir, un jardin minuscule dans lequel s'attardent les convives. Qu'entendez-vous élire pour votre ennui, la vastitude d'un palace ou l'encombrement d'une pension de famille – comme si le vide et le trop-plein pouvaient exercer le même pouvoir ? Il me semble que je serais davantage accablé par la surcharge d'une étendue que par son évanescence vertigineuse.

À l'opposé de la forteresse des villes d'eaux, un observateur pressé redouterait que l'on s'ennuie dans un lieu tenu à l'écart du travail, de la passion, des agitations humaines. Dans un lieu anachronique, l'individu ne se demande jamais comment « passer le temps ». En fait les journées sont bien remplies et les corps fatigués aspirent à un repos mérité. Il y a plus. L'homme y acquiert un statut déterminé : celui de curiste, qu'on lui rappelle sans cesse. Il s'habille, il se lève, il boit, il salue ses semblables comme un curiste. Il écoute une musique tempérée et digne d'un curiste. Au casino, il se livre modérément à la passion du jeu, commettant seulement une folie de curiste. Le matin, il ouvre ses volets sur un parc thermal et les étoiles révèlent elles aussi un ciel thermal. Nous avons remarqué à l'origine de l'ennui un vertige concernant ce que nous sommes, ce qu'il nous convient d'être. Une telle angoisse en présence du « peut-être », du « tout » et du « rien », disparaît quand on a endossé, avec conviction et plaisir, un état semblable.

L'ennui nous gucttait parce que nous avions des problèmes avec le temps, avec un présent qui s'effilochait ou qui se répétait, avec un avenir privé de consistance. La ville thermale, par l'anachronisme de son architecture, de son personnel, de ses rites, souvent par sa situation géographique, tient ses fidèles hors des harcèlements du temps. Une ville d'eaux et qui dit à ce point la gloire de l'eau tiède, gazeuse, pétillante, sulfureuse, ferrugineuse, quel rapport peut-elle bien entretenir avec le monde ? La durée ne peut pas y paraître languissante puisque rien ne la mesure. Le temps ne peut nous surprendre par ses stases puisque par principe il ne s'écoule pas. « Jamais tu ne te baigneras dans le même fleuve », disait le philosophe grec avec quelque mélancolie. « Toujours, chaque jour, tu t'abreuveras de la même eau, à la même source », nous promet le médecin-chef.

Cet éloge de l'ennui risque de nous fourvoyer s'il s'agit de fonder sur lui un art de vivre. Je dirai qu'il vous permet de vous dépendre des apparences. Bâiller d'ennui à la vue de ce qui provoque l'emprisonnement de nos semblables, quoi de plus salubre, quoi de plus efficace pour retirer leur valeur aux formes de la vanité, de la condition, du confort ! Cependant, il existe d'autres voies pour qui veut échapper à la séduction des apparences : en les toisant, par un jugement sans appel à la manière de Pascal. Une fois la lumière faite, une fois le jugement prononcé, il nous suffit de nous en tenir à une certaine hauteur de vue. Tout est consommé, il ne nous est pas nécessaire de nous y soustraire grâce aux brumes indécises de l'ennui.

J'entends préserver ma liberté et c'est pourquoi je pratique, en ce qui me concerne, l'alternance. Quand je m'autorise ainsi à vivre sans restriction, je me reproche de m'être adonné à un ennui fondamental. S'ennuyer, c'est toujours de quelque manière signifier à un autre qu'il ne présente pas grand intérêt à nos yeux. En conséquence, lorsque je me conduis de telle sorte à l'égard du monde, dont j'ai tant reçu et qui continue à me dispenser ses dons avec profusion, je me comporte comme un mufle, comme un enfant gâté qui boude ce qui lui est offert de bon cœur. Puis vient un moment où je me laisse prendre au jeu, où je vacille d'un leurre à un autre – et alors j'ai de nouveau recours à cet ennui, seul capable de me détacher de ces forces dont je devenais l'esclave. On ne peut donc pas affirmer que j'ai choisi d'exister à travers l'ennui. Il constitue plutôt pour moi un moyen d'user loyalement du monde, de m'en approcher, de m'en démettre, d'y goûter à nouveau pour mieux le savourer.

À l'avenir je ne récuserai pas la vigueur et au fond l'innocence de mes élancements. Je jugerai seulement qu'ils ne constituent pas l'unique critère d'évaluation de ce qui mérite ou non d'être suivi. Je prônerai l'usage d'un ennui modéré, puis, ayant pris ainsi mes distances, j'accepterai d'y goûter en tout bien, tout honneur.

RÊVER

S'abandonner à la rêverie : n'est-ce pas là le moyen le plus habituel pour ralentir le cours du temps, pour vivre entre deux eaux, celle de la vigilance et de l'inconscience ? Tandis que Jean-Jacques herborise et qu'il écoute les clapotis d'un lac, il en oublie l'heure et le complot de ceux qui à Paris lui en veulent. Mais n'est-ce pas là une vilaine forme de paresse ? Le rêveur préfère les images aux concepts car, pour prendre forme, ces derniers exigent du travail. Les images qui le visitent sont bien pauvres face à une réalité inépuisable dans sa richesse et elles s'alimentent de quelques débris du monde. Il nous faut avoir recours à Bachelard pour accéder à une rêverie qui ne signifie pas l'appauvrissement de la conscience et qui, au contraire, rend un bel hommage à la nature sous toutes ses formes : l'eau, la terre, le feu, les airs.

Bachelard affirme son attachement à des valeurs comme la tranquillité, le repos de l'âme, auxquelles il prête une signification forte, ontologique (une manière d'être, un accès à l'Être). Il les situe dans des expériences qui pourraient sembler régressives ou, du moins, de l'ordre du repli, d'une dénégation du monde extérieur. C'est ainsi qu'il s'est livré à un éloge du coin, car celui-ci constitue un refuge qui nous assure d'une première valeur de l'Être : l'immobilité. « Douceur, lenteur, paix, telle est la devise de la rêverie en anima », et « ce n'est pas par hasard que le coin dispense des silences ».

Le farniente intra-utérin, le nid, l'œuf, le ventre, la caverne (un monde fermé où travaille la matière même des crépuscules), la maison (lorsqu'elle est notre coin dans le monde), la barque, le tombeau qui est aussi bien la chambre nuptiale et qui nous assure la tranquillité de la mort, le placard (l'odeur unique des raisins qui sèchent sur une claie), le grenier et la cave, deux espaces privilégiés dans une demeure, les coffrets – tous ces lieux ou ces objets, Bachelard ne les aime-t-il pas parce qu'ils échappent pour une part à l'espace et au temps et parfois même parce qu'ils nous conduisent à un certain enfermement ? Mais cette rêverie n'implique pas la démission d'un individu. Il nous faut une extrême vigilance pour la mener à bien. L'enfance n'est pas le souvenir attendri de nos vertes années et l'oubli que nous sommes des adultes. Bien au contraire, « il faut avancer en âge pour conquérir la jeunesse » et plus tard, grâce à un imaginaire inventif, nous aurons l'enfance que nous méritions. « Parfois, un meuble a des perspectives intérieures sans cesse modifiées par la rêverie. » « Modifiées », l'expression marque bien qu'il s'agit d'un travail.

N'oublions pas que Bachelard a décrit les rêveries de la volonté tout autant que les rêveries du repos : « Il y a aussi des rêveries qui veulent, des rêveries réconfortantes, très confortantes parce qu'elles préparent un vouloir et soutiennent le courage au travail. » Les outils : le couteau, la serpe, le burin, la matière quand elle est dure, constituent de grandes éducatrices de la volonté humaine. C'est la main qui crée ses propres images, c'est la réalité dans ses outrances qui nous incite à la rêverie. « Tout est gros dans la forge : le marteau, la pince et le soufflet. Tout inspire, même au repos, la puissance. »

La vivacité inventive s'oppose aux mollesses du rêve. « Le repos de la nuit ne nous appartient pas. Il n'est pas le bien de nos êtres. Le sommeil ouvre en nous une auberge à fantômes. Il nous faut le matin balayer des ombres. » Bien au contraire, la rêverie du jour bénéficie d'une tranquille lucidité. « Il faut être présent, présent à l'image dans la minute de l'image... dans l'extase même de la nouveauté de l'image. »

La rêverie telle que Bachelard l'entend exige à vos yeux trop de vigilance. Dans votre extrême misère, vous aimeriez rendre la réalité plus supportable. Il ne vous est pas interdit de vous plaindre. Non point pleurnicher, vous enlaidir en grimaçant, en chiffonnant votre visage mais, par une manière de complainte, chanter, enchanter, bercer votre malheur. L'objet de votre chagrin (un enfant malade, un mari au chômage, un abandon), vous l'enveloppez, vous le prenez contre vous, vous l'apaisez et peut-être vous l'assoupissez par vos gestes de tendresse, de grande pitié. Tandis que vous vous conduisez avec une sollicitude maternelle (et peut-être êtes-vous une jeune fille ou une personne âgée ou un homme), votre corps retrouve de la grâce et des vertus. Certes, le monde continue à être ce qu'il est – indifférent, hostile –, mais vous vous en êtes séparé, vous ne faites plus qu'un avec ce chagrin-là.

Des êtres méchants s'en apercevront. Ils tenteront de mettre à mal votre refuge, de troubler votre mélodie. Je souhaite qu'elle échappe à leur malice, de même qu'un morceau musical de haute tenue, même chuchoté, persiste malgré le tohu-bohu du vacarme environnant. C'est ainsi que des femmes d'un milieu modeste ont tenu bon malgré leur faiblesse apparente, malgré les misères qu'elles enduraient. Je fus sensible à ce qu'il y avait de sublime dans leur attitude. Mais ne risque-t-on pas de se complaire dans les larmes ? J'ai bien dit qu'il n'y eut pas de larmes excessives et je formule l'espoir que la douceur parvienne parfois à triompher du mal. Dans les moments de bonheur qu'éprouve une telle personne, j'ai encore perçu l'imperceptible délié de leur chant et je vous plains, si tel est le cas, de vous abandonner à vos plaisirs sans le contre-chant d'une sourde mélodie.

Oserai-je entreprendre une rêverie que peut-être Bachelard n'eût pas désavouée ? Je me souviens ou plutôt je feins de me souvenir d'une école des songes. Elle n'avait pas pour souci premier de nous rendre plus performants ou de nous instruire mais de nous ouvrir les portes du rêve. Il importe peu qu'elle ait ou non existé et si elle a existé, c'est en vertu d'une fâcheuse coïncidence. De toute façon, aujourd'hui une école attentive à l'imaginaire de ses élèves se devrait d'inventer d'autres lieux, d'autres rites, d'autres objets, si elle veut les inciter à exalter le sensible. Un signe fort : cette école se doublait d'une école buissonnière verdoyante, ombragée, cascadante.

« Sécher un cours », c'est le mettre entre parenthèses et l'oublier. Tel n'était pas le cas de l'enfant qui empruntait le chemin des écoliers à travers les prés et les ruisseaux, dénicheur d'oiseaux, maraudeur d'images, laveur de chiffres, troubleur de sources, effaceur de mots, amateur de nuages, querelleur d'épouvantails, coureur de poules, aboyeur de chiens, inventeur de raccourcis. Au cours de toute cette matinée de printemps qu'il avait préférée à l'école, il conservait contre lui son cartable, il savait que le maître avait remarqué son absence et qu'il aurait des comptes à rendre à ses parents. Il n'en épuisait que davantage les joies de ce temps dérobé à ne rien multiplier, à ne rien orthographier.

Cette même école était pleine de rites. À la limite, elle n'était qu'un ensemble de rites auxquels on ne saurait déroger, avec l'inscription du jour de l'année sur le tableau qu'un élève avait d'abord eu pour mission d'effacer, avec la leçon de morale, la dictée, la correction de la dictée, les tables de multiplication, la liste des sous-préfectures de nos quatre-vingt-neuf départements. La craie, l'ardoise, la gomme, la trousse, la règle (celle menaçante du maître et celle plus inoffensive des écoliers), les crayons de couleur constituaient les instruments initiatiques sans lesquels il était impossible d'entrer dans l'univers sévère et merveilleux de la classe.

Combien de rêveries autour de ces éléments familiers, aussi familiers que l'assiette ou la cruche ou la longue table de la cuisine ? Fait remarquable, la culture, en vertu de cette familiarité, avait l'*immédiateté songeuse* des éléments matériels dont Gaston Bachelard a si bien parlé. Il y avait une manière de tailler des crayons, d'en extraire des copeaux, qui ressemblait, dans son application rêveuse, au pétrissage de la pâte ou au modelage de la glaise. La régularité, la stabilité des objets (et du maître identique à lui-même dans sa blouse, dans sa pédagogie, dans son allure intemporelle d'instituteur du savoir) permettaient à l'enfant de prendre le large : non point d'être exactement inattentif, mais d'être à la fois ici et ailleurs. Ce qu'on a pris pour de la lenteur d'esprit (comme nos enfants sont maintenant plus agiles et plus véloces !) était une marque de piété à l'égard d'un univers qu'il fallait contempler et non point transformer. Les incitations au songe concernaient tous les sens : l'odeur fade de la craie mais aussi son crissement, la gomme qui peluche sous les doigts, le buvard qui absorbe, l'encrier qui menace de se renverser, la plume qui musarde entre les pleins et les déliés, le trait qu'il faut tirer au plus juste, l'orthographe dont il faut respecter les caprices, la preuve par neuf qui ne doit pas contredire le résultat obtenu, les fables dont il faut respecter la versification... Avec quelle précaution il fallait s'avancer au milieu de tous ces archipels étranges ! Cette description n'entend pas fixer une pédagogie ou promulguer un type d'architecture scolaire. Elle veut montrer que le temps flottant ne se confond pas avec le temps de l'inventivité. Il accepte plus volontiers la re-création, le recommencement du quotidien, si du moins celui-ci est porteur d'un sens, s'il s'accomplit selon certains gestes et en vertu de certains rythmes acceptés, attendus.

À la suite de quelques années d'étude de cette farine, nous ne savions pas grand-chose, nous étions pour la plupart des bons à rien. Mais qu'importe, la Troisième République, dans son infinie sagesse, pressentait que la vie devait être rêvée avant d'être parcourue avec tout l'ennui et le sérieux désirables.

ATTENDRE

Attendre, parce que nous n'avons rien d'autre à faire, pour nous livrer à une ferveur gidienne, ou plutôt pour donner de la noblesse à certains de nos actes, pour faire reculer l'horizon de notre avenir, pour déjà présumer de l'objet convoité ?

Quand un étudiant pénétrait dans une bibliothèque comme celle de Sainte-Geneviève à Paris ou celle du Bouchage à Nice, il lui fallait chercher et trouver une place. Il commandait un livre qui arrivait par un système compliqué de poulies. Je me précipitais souvent en vain. L'ouvrage ne figurait pas dans la cargaison. Une pareille attente n'avait rien de pénible car elle participait à un rituel studieux et nous n'étions pas seuls au milieu des camarades qui avaient la chance d'être assis, qui chuchotaient pour ne pas être rappelés à l'ordre, au milieu de ceux qui allaient et venaient dans l'espoir d'obtenir eux aussi une place. Les rayons regorgeaient d'innombrables ouvrages et le parquet, l'atmosphère respiraient le livre.

La diffusion d'Internet évite à certains de nos étudiants de tels désagréments. Ils sont très vite mis en relation avec les documents recherchés. Ils y gagnent, semble-t-il, du temps. Est-ce tellement vrai ? Ont-ils seulement pénétré dans la cité de la culture ? Ne se sont-ils pas plutôt fourvoyés dans l'atelier d'une messagerie électronique, demeurant seuls devant leur console au milieu d'autres usagers tout aussi seuls qu'eux ? Dans ces salles blanches, à peine meublées d'appareils technologiques, aux cloisons nues, le monde s'est évanoui avec ses odeurs, sa confuse insistance et sans cette présence que nous apporte un savoir abstrait, sinon des instruments pour résoudre des problèmes parfois complexes !

Enfant, j'ai attendu de longues années pour devenir adulte. Un adulte était un être étrange, lointain qui nous aimait, que nous aimions, mais qui aurait voulu que nous l'aimions comme il nous le demandait. Pourtant, nous aspirions à rejoindre cet état parce qu'il signifiait, à nos yeux, l'indépendance. Nous allions pour la plupart d'étape en étape, comme les multiples échelons du primaire, puis du secondaire, le rendaient manifeste : le certificat d'études puis le brevet et pour quelques-uns le bac. Est-ce à dire que le corps de nos enfants a maintenant réussi à brûler les étapes ? J'entends mener l'analyse autrement. L'enfant est mêlé à un monde d'adultes qui a perdu son altérité. Il écoute les mêmes émissions, il donne parfois son avis sur le cours de l'univers et ce sont les adultes eux-mêmes qui tiennent à le mettre devant ses responsabilités, à négocier avec lui comme avec un partenaire. De leur côté, les adultes se sont rapprochés des jeunes dont ils partagent les goûts et les attitudes. Dans la mesure où la distance entre les âges s'évanouit, l'attente n'a plus la même portée.

L'amour courtois entendait retarder indéfiniment la rencontre amoureuse. La dame soumettait le chevalier à toutes sortes d'épreuves. Il lui fallait triompher dans de nombreux tournois, affronter de nombreux monstres qui, par bonheur, en ce temps-là peuplaient la terre. Le galant ne se rebiffait pas : trouvait-il du plaisir dans cette errance amoureuse ? Désirait-il que l'Aimée demeurât inaccessible ? Redoutait-il une vie conjugale plutôt morne ? L'attente que nous évoquons ne se détourne pas de l'événement dont elle a le souci. Bien au contraire, elle le pressent et nous en offre les prémices.

N'y a-t-il pas des circonstances où nous ne pouvons plus attendre parce que rien ne nous sollicite et que le monde des possibles est presque réduit à néant ? Un homme cède alors à un découragement total et c'est pour nous une raison supplémentaire d'apprécier à sa juste mesure l'attente. Qu'en est-il d'une personne fort âgée ? Que peut-elle attendre, sinon la mort, quand elle a la force de la considérer s'approchant d'elle et pour qu'ainsi regardée, examinée, elle devienne en quelque sorte son bien et non point une intruse ? Nul ne peut exiger de nous un pareil héroïsme, et peut-être la mort imminente sera-t-elle si différente de la mort présumée que nous ne pourrons pas estimer l'avoir véritablement attendue. Seule une espérance qui nous habite sans raison et à laquelle nous nous abandonnons comme à une grâce indubitable sera en mesure de nous délivrer de l'accablement. Et alors, pourquoi cette grâce visite-t-elle les uns et non point les autres ?

Mais y a-t-il lieu de regretter un rapprochement qui permet aux générations de mieux se comprendre et qui atténue le pouvoir excessif des adultes ? Je souscris à cette remarque à condition que l'enfance demeure un continent obscur, un état différent des autres et que les plus jeunes ne perdent pas de vue l'horizon d'une condition dans laquelle toutes les données se joueront d'une autre manière. Notre enfance se confirmait dans l'attente d'un état où elle disparaîtrait.

Je retrouve dans les relations du maître et du disciple une même distance que l'on ne saurait abolir à la va-vite. Le disciple se trouve dans la nécessité d'attendre la parole du maître, car nulle autre personne, nul ouvrage, ne peut la lui dispenser, comme cela se produit dans la plupart des autres domaines. La parole du maître, quand elle est détachée d'une écoute charnelle, ne possède plus la même portée. Sa présence muette est encore préférable aux longs discours que l'on rapporterait de son enseignement. C'est parce qu'il est tout à fait différent de moi que je m'appréhende comme un disciple : non point comme un individu insignifiant mais comme un être disposé à s'enrichir et à recevoir la lumière. Je ne me prépare pas à mon tour à devenir un maître. Ce n'est pas par manque d'ambition ou parce qu'une personne éminente m'écrase ; mais, comme disciple, je me suis engagé dans une voie féconde dont le cheminement suffit à combler mes aspirations spirituelles. Peut-être aurai-je un jour à enseigner : cette pensée ne m'occupe pas pour l'instant et il apparaît donc que je ne suis pas saisi par le désir de dominer ou d'occuper une place plus élevée dans une quelconque hiérarchie.

Avoir la patience d'attendre celui ou celle qui nous élira et que nous élirons. Une telle attitude exige une âme forte, soucieuse de vérité. Nous sommes pour la plupart impatients de jouer le rôle excitant, gratifiant d'amoureux(se). Parce que tout est signe, il nous est facile de décider et de jurer que c'est là un grand amour. Ou encore, nous croyons plausible d'essayer le scénario à plusieurs reprises, de le peaufiner avant qu'il nous infuse l'harmonie souhaitée. Nous multiplions les castings pour dénicher un figurant à peu près convenable. Nous n'admettons pas que l'amour est un événement improbable et que, sans doute, il ne nous échoira pas. Davantage, nous revendiquons un droit à l'amour tout comme un droit au bonheur, au logement, au travail.

Je ne mets pas en cause le vagabondage sexuel mais l'illusion au terme de laquelle nous sommes l'élu(e) et béni(e) entre tous les hommes ou toutes les femmes.

L'avenir peut prendre forme de deux manières qui en appellent à deux philosophies différentes. Sur un mode volontariste, nous avons à le constituer de notre propre élan. Il n'a pas d'existence en lui-même. À la faveur de nos initiatives, nous nous pro-jetons au-devant de nous et c'est cette distance entre ce que nous voulons atteindre et ce que nous sommes que nous appelons l'avenir. L'homme qui a renoncé aux projets se trouve coincé en un petit bout de la durée. L'attente, en pareil cas, figure seulement le délai de livraison, l'addition des moyens, des chemins de traverse qu'il nous faudra emprunter avant d'arriver à terme.

Sur un mode moins volontariste mais qui n'implique pas pour autant de la passivité, nous avons à nous ménager une ouverture grâce à laquelle des événements interviendront à plus ou moins lointaine échéance. À la suite de quoi, l'horizon apparaît ouvert, vacant, libre. Un tel espace rend possible l'advenue d'événements, sans être lui-même un événement ou une somme d'événements. L'homme y est bien pour quelque chose puisque, dans certaines situations, il n'y a pour ainsi dire pas d'horizon et que, dans d'autres circonstances, il se dégage, il nous livre le sentiment, la sensation des lointains.

L'Attente n'est pas attente de telle ou telle offrande du monde. Ce serait nous conduire comme des enfants gâtés et paresseux. Elle nous prédispose à un avenir qui nous ménagera bien des surprises et parfois de mauvaises surprises – à la différence d'un optimisme pour lequel tout finira par s'arranger. Nous faisons crédit au temps. Nous ne le bousculons pas mais, quand il y a urgence, nous pressons le pas.

Nous avons donc à présumer l'avenir, et surtout s'il s'annonce indéterminé. Je parlais, nous parlions des beaux jours, une expression dont j'aurais eu de la peine à préciser le sens. Au-delà de l'agrément, de la douceur des soirées, il y aurait de la beauté. Le monde, les arbres, comme les femmes et les hommes, seraient en beauté. Une lumière plus clémente adoucirait nos peines ou s'accorderait à nos bonheurs. Nous sous-entendons que la mauvaise saison, non seulement était pénible, mais porteuse de maladies vilaines. Mais comment appréhender tout ce bonheur espéré ? Pour ma part, je me fixais un signe annonciateur de toutes mes autres joies : une guinguette qui, en effet, n'ouvrirait ses portes que le printemps revenu pour de bon, c'est-à-dire en mai. Les habitués et les occasionnels y dîneraient le soir à la fraîche. Ce ne serait pas la chaleur étouffante du mois d'août et même en plein été la température y serait supportable. On leur servirait de la friture, le samedi et le dimanche on y danserait. L'eau de la rivière y serait d'une certaine couleur glauque et l'on voudrait croire qu'elle était particulièrement poissonneuse. Des couples (tous légitimes ?) vagabonderaient au bord du fleuve. Les étoiles chavireraient au-dessus des lampions multicolores de l'établissement et éclaireraient le visage des habitués.

En conséquence, cette image retenue au détriment des autres m'était d'un grand secours et m'assurait que la belle saison n'était pas une espérance sans fondement. Pour m'en assurer davantage, je me rendais à vélo jusqu'à la guinguette encore fermée. Je m'avançais à travers l'épaisseur d'une végétation à l'abandon. À l'évidence l'établissement n'était pas fait pour les tempêtes. Il chaloupait tant bien que mal, à peine éclairé par un fanal incertain. Les propriétaires devaient y reposer d'un mauvais sommeil. Je repartais méditatif.

Puis, un beau jour, l'un d'entre nous clamerait : « La guinguette a rouvert ses portes ! » Vous aussi, vous avez connu une expérience, un pressentiment de cet ordre. Au-delà de cette évocation singulière, je voulais mettre en évidence la dimension positive de l'attente, à laquelle nous ne sommes pas toujours sensibles.

Tandis que je guettais le moment où la guinguette rouvrirait ses portes, d'autres cherchaient à entrebâiller les pans de l'Invisible. Les âmes nobles s'en remettent à la prière et échappent ainsi à notre fébrilité. C'est bien ce que l'on a souvent reproché aux personnes pieuses. Elles ne courent pas. Elles trottinent, elles s'attardent au confessionnal, à la communion, à des messes interminables. Elles saluent et multiplient les génuflexions. Elles reviennent sur leurs pas pour rendre hommage à leur Seigneur, à un saint moins reconnu, à une chapelle latérale. Elles descendent, en marmonnant, le parvis de leur église : comme si le monde pouvait attendre. Comme elles donnaient un mauvais exemple, on les ridiculisait, on les surnommait « bigotes », « punaises d'église ». Dieu leur suffisait. Quel scandale et au fond quelle forme de désertion ! Et si, par hasard, elles avaient raison de préférer l'unique Nécessaire à nos incessants caquetages !

On s'est particulièrement gaussé des chaisières, de leur tâche si modeste et si obscure menée dans les ténèbres d'une église, de leur esprit borné. Mais qui donc parmi nous a le pouvoir d'inspecter les esprits et de les juger ? Malodorantes, parfois moustachues, elles auraient ranci dans leur sacerdoce. Il est vrai qu'elles avaient accumulé l'odeur des cierges, les senteurs suffocantes des lys et qu'en général elles se lavaient peu. Mais c'est une part de l'église (la moins glorieuse mais la plus persistante) qui s'était déposée dans leurs chairs. J'estime tous les êtres qui, par l'effet d'une adhérence qui va au-delà d'une simple adhésion, témoignent ainsi d'un lieu : ce peut être un lupanar, une gare, un stade ; des êtres-paysages, des êtres par qui le paysage prend une forme humaine. En outre, leur sacerdoce dans sa modestie ne manquait pas de noblesse : mettre en place les chaises, les bancs, en quémander l'octroi, s'agenouiller sans trêve devant le tabernacle tandis que l'on va de la gauche à la droite de l'autel, n'apercevoir du printemps, de l'été, des saisons que ce que les vitres ou les vitraux de l'église leur dispensent, participer aux grands événements d'une existence, la naissance, le mariage, la mort.

Elles étaient les lavandières de l'église, les cantinières de Dieu, tout comme les piétons sont les conservateurs et les hérauts d'une ville. Leurs dos, leurs mitaines, leurs traits étaient une prière : nul besoin pour elles d'assourdir Dieu par des actions de grâce.

Prier, c'est se démettre. « Que votre volonté soit faite » – et attendre. Une dizaine de chapelets récités, expédiés à toute vitesse, n'avanceraient pas votre cause. Ne fixez pas de rendez-vous au Seigneur (je vous serais obligé de vous présenter à telle heure), ne lui tirez pas la manche. Cela ne doit pas se faire et n'a aucun sens.

À considérer le cours de l'univers, nous serions tentés de le croire indifférent à nos problèmes et de nous en irriter. L'homme de foi ne réclame rien, sinon conserver sa foi (ce qui ne constitue jamais une certitude) et continuer à aimer. Il tient les mains jointes au lieu d'en multiplier l'usage à droite et à gauche. Prier, c'est comme emprunter dans les ténèbres un chemin sans raison et espérer qu'une faible lumière nous assurera que nous ne nous sommes pas égarés.

LA PROVINCE INTÉRIEURE

Il a existé une province intérieure et elle nous provoque avec d'autant plus d'insistance que la province réelle s'estompe au profit des régions, des départements ou peut-être d'une équivalence généralisée des territoires et des flux. Si l'on n'a pas en charge les arts et les métiers populaires, si l'on n'est pas habilité à conserver et à réhabiliter le patrimoine, on dit « PACA », « Franciliens », 13, 69, 63, 39, et non plus Aquitaine, Bretagne ou Auvergne. Mais la géographie est avant tout une affaire d'éthique et de métaphysique. Il faut examiner de quelle manière les données sensibles, celles de l'histoire et de la géographie, ont quelque chance de figurer, de donner forme à quelques-unes de nos inspirations essentielles.

Cette province intérieure n'a que faire du régionalisme ou de la décentralisation. Elle n'a pas à se mêler à des rapports de domination ou de servitude. Elle entretient avec nous des rapports de séduction. Elle semble se dérober quand nous nous avançons vers elle. Et quand nous tentons de l'oublier, elle insiste en nous, en notre âme, à coups de bouffées, d'odeurs, de souvenirs.

La province est éternelle, tout comme l'Empire, la République, la Source, la Montagne, l'Enfance. La source est jaillissement, mouvance, et peu importe qu'aujourd'hui notre eau soit polluée, bien régulée, que quelques industries aient voulu, par le biais des eaux minérales, s'approprier son prestige. La montagne survolée par les hélicoptères, encordée par les téléphériques, assaillie par les touristes et les profanes, nous éveille encore à une existence sublime. Des archétypes plus culturels me semblent jouir d'une semblable aura, même s'ils ont eu affaire avec l'histoire et y ont surgi. La République ? l'affaire de tous ? oui, mais celle de Gambetta, de Jules Ferry ou celle d'Athènes, de Rome ? L'Empire ? un molosse centralisateur ? oui, mais le Haut, le Bas-Empire ? l'Égypte, la Perse, Rome ? À nous de nous livrer à une rêverie flottante et, je l'espère, fructueuse. À nous de retenir délibérément quelques éléments qui nous parleront.

S'il s'agit de la Troisième République, ne pas insister outre mesure sur les guerres coloniales, la dureté de la condition ouvrière, la corruption de quelques personnages politiques, mais penser à l'instauration du suffrage universel, de l'école laïque, à quelques individus de conviction et de caractère. Nous agirons de même avec la province, sans nous soucier de la littérature abondante en ce domaine (d'Eugénie Grandet à François Mauriac), nous demandant de quelle façon, par ses personnages, ses vertus et ses vices, ses nuances, elle nous aide à figurer une éthique de la modération, de l'exil, nous incite à respirer avec plus de discrétion : non point la perte du sens (son insignifiance si souvent décriée par les beaux esprits) mais une discrétion propre à nous surprendre, à nous inciter à tendre l'oreille. La province aura eu un style qui lui est propre. Elle m'adresse encore des signes dont la parenté me semble manifeste. Je me contenterai de décrire et d'analyser quelques-uns d'entre eux : un domicile encombré, une petite pluie fine, les vieilles demoiselles.

Je crois me souvenir d'appartements encombrés. En particulier le salon et les salles à manger avaient été garnis exagérément, à tel point qu'il fallait y déambuler avec d'infinies précautions de peur d'ébranler un objet précieux. Il me semble y avoir vécu des heures exquises, des heures que j'oserais nommer mallarméennes. Nous conversions de choses et d'autres au milieu des poufs, de quelques chinoiseries, et une jeune fille de la maison nous proposait des boissons brûlantes. Le bout d'une idée, d'une remarque, pointait, indécise, à l'ultime détour d'une longue phrase. Dans un autre pays que la province nous aurions étouffé, ou peut-être été pris de malaise. Ce qui ailleurs aurait semblé un horrible bric-à-brac apparaissait comme une harmonie céleste et je devine les raisons de ce regard bienveillant. Nos hôtes avaient accumulé les achats. Ils n'auraient jamais accepté de se délester de l'un d'entre eux. Parce qu'il ne faut rien jeter ? ou plutôt en vertu des lois de l'hospitalité ? Quand nous avons acheté ou reçu un objet, il n'est plus question de rompre le pacte d'amitié que nous avons conclu avec lui et de l'expulser piteusement. C'est ainsi que nous promenions nos regards au milieu d'innombrables icônes et cette pendule était celle d'une grand-mère, et ce service en porcelaine avait été un cadeau de mariage, et ce napperon avait été gagné lors d'une tombola organisée par une œuvre de bienfaisance. Heureux ces personnages et ces événements qui, par la piété des hommes, avaient échappé au naufrage du temps – et j'imaginais que nos amis retarderaient l'échéance de leur propre mort pour soustraire leurs reliques à des héritiers moins fidèles qu'eux. Hors de cette considération majeure, ces gens-là n'avaient pas été atteints par le virus de la nouveauté. L'habiter n'avait pas de rapport à l'esthétique (du dénuement), au confort. Il était de l'ordre de la fondation et de la commémoration. J'ai été reçu à Paris en des maisons empreintes de cette même vertu et j'ai acquis la conviction que la province consistait en un état d'âme et qu'elle ne logeait pas nécessairement en des lieux déterminés par la géographie.

Il existe, me semble-t-il, une convenance entre la petite ville de province et une petite pluie fine. Je réserverai les tornades à la campagne et encore davantage aux grands espaces que la tempête ravage. Les récoltes sont en danger, les fermes risquent d'être isolées. Le vent bénéficie d'assez d'étendue pour prendre son élan et tout est bousculé sur son passage. Une pluie diluvienne dans une petite ville manquerait à ses devoirs et risquerait d'introduire du sublime, de la catastrophe, là où elle n'a que faire. Une grande ville accepte davantage les assauts du ciel. À sa démesure s'ajoute celle de la mégalopole. Les passants, les véhicules étaient déjà dans un état de fureur avant que ne claque la foudre et que ne retentisse le tonnerre. Le désordre (le chaos) est seulement plus grand et les passants accélèrent leurs pas déjà rapides. Cette petite pluie permet à la ville de province d'être un tantinet plus pudique, souligne à peine les traits de son gentil minois. Elle perle sous les façades, sur le front des enfants, se pose délicatement sur leurs capuchons et la petite ville se rassemble avec encore plus d'intimité et de bonheur sur elle-même. Elle ferme plus tôt les volets, les rideaux des commerces, la mairie. Ses habitants commencent à rêver, prennent place sur un siège, se débarrassent de l'avenir, songent à ce qui aurait pu être : une passion romantique, leur enfance. La lumière y est chiche par souci d'économie, mais c'est aussi de cette manière que les esprits se dérobent à l'instant présent. La pluie a enveloppé la ville d'une immense pèlerine humide, et le reste du monde, déjà imperceptible dans la vie ordinaire, s'est évanoui.

Les vieilles demoiselles. À Paris et dans de grandes villes, il exista des femmes qui ne se marièrent point. Il fallut la présence de la province pour qu'elles deviennent des figures mémorables ; en revanche, par leur stature, elles étoffaient la comédie sociale qui s'y jouait. On ne leur prêtait pas souvent un beau rôle. On les supposait anguleuses, sèches, comme si seule la vie de famille donnait de la rondeur et du liant aux êtres féminins. En vieillissant, elles semblaient devenir plus rébarbatives. Puisqu'elles n'avaient pas su conquérir un cœur, elles étaient du côté des perdantes. Les provinciaux ont su parfois se montrer plus généreux à leur égard. On supposait alors une grande passion qui les avait meurtries pour la vie, on les voulait grandes, réservées, lointaines parce qu'elles ne s'étaient pas compromises dans le train-train de la vie quotidienne. Elles jouissaient d'une faveur certaine auprès de leurs nièces et neveux qui trouvaient auprès d'elles plus de compréhension. C'étaient parfois deux sœurs qui vivaient l'une avec l'autre, chacune attentive à la santé, à l'humeur de l'autre, déployant des trésors de tendresse rares, émouvants. Quand l'une d'entre elles disparaîtrait, l'autre ne saurait pas y survivre. De quoi subsistaient-elles ? de peu. Elles cachaient avec beaucoup de pudeur leur pauvreté et tenaient à demeurer dignes, à ne jamais faire état de leurs embarras financiers. Quelques-unes donnaient des leçons de piano à des élèves peu motivés et les notes s'égrenaient sur l'instrument dans le désaccord.

La province languissait de Paris. Elle a multiplié les rues de Paris, les routes de Paris (qui de Bergerac ou de Luchon ne menaient pas à la capitale). Elle s'est entichée pour les articles de Paris. La personne qui avait l'occasion de s'y rendre bénéficiait d'un surcroît de prestige. Il fallait être dans les affaires ou dans la politique ou bénéficier d'une solide rente pour accomplir de tels voyages. À leur retour, l'homme ou la femme portaient sur eux un air de frivolité, voire de débauche. Je veux espérer que ce sentiment ne débouchait pas sur un mépris de la petite ville non habitée. C'était une façon de s'envelopper, de se consumer dans l'exil, à la manière de ces coloniaux qui vivaient de la nostalgie de leur pays. Les rues de la petite ville paraîtraient un peu plus vides au regard des boulevards parisiens, les dames et les bourgeois un peu plus démodés au regard de nos élégantes et de nos dandys. Un tel éloignement ? sur le mode d'une mélancolie enchantée ? ou d'une vie qui se consumait dans le vide ? Lorsque Paris a cessé de nous fasciner à ce point, la province ne s'est plus considérée comme une belle endormie, une princesse oubliée. Elle ne s'est plus drapée dans le spleen qui assurait son charme. Elle n'a plus été la province.

On a dit la province impénétrable, dans la mesure où il était difficile d'y accéder, telle l'Auvergne, et parce que les échanges avec le reste de la France étaient rares. Nous croyons que ce fut aussi une volonté délibérée de ne pas se livrer, par pudeur, et aussi de ne pas dissiper son être aux quatre vents du monde. J'en prendrai pour preuve le Béarn, Oloron-Sainte-Marie, qui accueillirent très tôt de grandes familles anglaises, des princes russes et qui n'entrouvrirent pas pour autant la pénombre de leurs demeures les plus profondes. Quand un étranger pénètre d'un air conquérant dans un café de village, les Béarnais empruntent à nouveau leur langue natale pour ne pas être entendus du prétentieux. Une capitale, au contraire, se veut ouverte aux marchandises, aux idées, aux migrants. Elle donne de la publicité à ses derniers caprices. La province détestait pareille obscénité. Ce prétendu brillant lui paraissait du clinquant. Elle se donnait le temps d'assimiler ce qui lui venait du dehors.

Qu'y avait-il de commun entre Mont-de-Marsan, Quimper, Nancy, Narbonne, Barcelonnette ? Rien, sinon que l'on s'y ennuyait. J'ai peine à croire que l'ennui ait eu le pouvoir de neutraliser la quasi-totalité de la France et, de nos jours, nul n'oserait l'affirmer – peut-être parce que, avec la disparition d'un tel ennui, la province elle aussi a disparu. Donc, par l'effet de l'ennui, des lieux aussi différents auraient été rapprochés dans le morne, l'indéterminé – les Alpes, le Jura, le Massif central, les falaises normandes, les ballons d'Alsace, les calvaires de Bretagne auraient été effacés de la carte de notre territoire. J'admets cependant cette proposition si l'on consent à lui donner une tonalité positive : non point la perte du sens, mais une discrétion propre à nous permettre d'appréhender délicatement les êtres, les saisons, les dimanches, les soleils. Encore cette manière d'entrouvrir les persiennes, de baisser le regard devant un presque étranger, de se saluer au sortir de la messe, d'écouter le discours d'un sous-préfet, de faire languir un amoureux, de s'attarder auprès d'une vieille personne un peu gâteuse, d'écouter les vers de mirliton du poète de la ville, de fermer les rideaux d'un commerce durant un soir d'hiver, de perpétuer une correspondance. L'ennui ce n'était pas une punition, la sanction imposée à ceux qui n'avaient pas la chance d'habiter la capitale, mais un style de vie qui transparaissait d'une maison à une autre, d'une adolescence à un grand âge et qui rendait reconnaissables les Noëls, les 14 Juillet, les rentrées de classe et les distributions de prix, la réserve de certaines jeunes filles et les écarts de quelques noceurs.

Dans le plus beau des cas, en cette province-là, l'ennui devenait mélancolie, musique exquise des âmes, le *taedium vitae*, qui n'est pas le dégoût de la vie mais plutôt un effacement du goût de vivre.

Il me paraîtrait imprudent d'épeler littéralement cette image de la province, d'élaborer une topologie de notre psyché qui figurerait celle de notre pays, avec un point, des points focaux et des territoires excentrés, et donc défavorisés. Je préfère m'en tenir à une leçon concernant l'homme dans sa totalité, c'est-à-dire un être capable aussi de vivre en retrait de son époque, susceptible de choisir le silence, le recueillement, même si, par ailleurs, il s'engage dans les acquis et les combats de son temps.

ÉCRIRE

Écrire ou peindre ou danser ou produire des œuvres musicales – non point d'abord pour éprouver ses talents ou pour dire le monde ou pour aider ses semblables à donner un sens à leur vie, mais pour chercher à s'approcher de soi et ne pas « se louper » durant toute une existence. En effet, une introspection ou même une analyse n'y suffiraient pas. Il y faudra de la patience et de l'humilité. Nous n'aurons jamais affaire à un être substantiel, visible, manipulable. Tout au plus pourrons-nous présumer que nous étions cette fois plus présent à nous-même et que, désormais, nous ne serons plus dupe des faux-semblants que nous confondions avec notre être le plus réel. Cette expérience, si nous lui accordons quelque crédit, ne nous livrera jamais tout son mystère. Ce soi essentiel n'est pas une pure invention de notre part ; cependant, il prend forme à la mesure de nos efforts, de nos tâtonnements. Alors est-ce l'œuvre, le fruit d'une lente maturation ou d'une fulgurance insensée ?

Certains artistes se sont habitués à entreprendre leur œuvre dans la rapidité, parfois dans la fulgurance. Quand il s'agit d'une toile, ils trépignent dans la fureur, ils la secouent, l'invectivent, la boxent, ils y projettent leur rage... la démence du boxeur ou celle d'une sensibilité écorchée par les couleurs. Ils ripostent à l'assaut des choses par une véhémence au moins égale à celle du monde. Ne récusons pas une approche qui possède, au moins, le mérite de ne pas céder à la fadeur.

J'évoquerai le cheminement d'autres artistes pour qui l'œuvre est le fruit d'une longue patience. Ils ne consentent à parler qu'à la suite d'un silence interminable. J'aperçois deux raisons à tel mouvement : le métier (talent ou génie) se déclarerait lentement. L'écrivain n'a pas de mots. C'est pourquoi il les cherche et il trouve mieux. Malheur aux êtres mondains qui brillent par leurs reparties, qui dressent un portrait au pied levé, qui s'expriment avec un respect naturel. Chacun de nous est menacé par la contamination du déjà-dit, du déjà-vu, du déjà-senti dont la plume paraît si facile. Jean Giono raconte ce qu'il a expérimenté en quelques circonstances. Une histoire lui était assenée en quelque sorte, d'un seul coup et en vrac, une histoire de 300, 400, 500 pages. Il attendra dix ans, vingt ans, pour que l'histoire se fasse en lui et que, fanée, elle puisse enfin « faire de l'art ». Louis Nevelson : « Étant jeune, j'ai toujours su que je ne m'accomplirais qu'une fois franchi le cap des cinquante ans et que, tant que je n'aurais pas atteint cet âge, je ne serais pas en possession de l'outil dont j'avais besoin. » Charles Juliet éprouva le même sentiment : « En cette veille de Noël, alors que j'écrivais depuis quelque vingt-cinq ans, mon impression était que je n'avais pas encore commencé. » Si pareil scrupule avait été de l'ordre de l'anormal, cela eût abouti à une totale inhibition. Il était assez modeste et décida dc croire qu'il ne bénéficiait pas encore d'une authentique écriture. Une pareille leçon, si nous consentons à l'entendre, nous détournera de toute précipitation et nous convertira à la vertu de la patience.

Je découvre une seconde raison à cette prudence. Elle ne concerne plus le savoir-faire mais une quête spirituelle dont on ne doit pas brûler les étapes. Il nous faudra d'abord admettre que l'artiste doit veiller sur son être : avant d'accéder à l'essentiel, il se laissera d'abord emporter par toutes sortes de turbulences charmantes et qui, par leur mouvement, par leur gaieté, ont quelque chose à voir avec l'art. Il dépassera le stade esthétique. Or, trop d'artistes se tiennent dans cette zone où le jeu est encore possible. Un jour béni des dieux, l'un d'eux aura soudain la force de se tenir face à l'impression pour s'apprêter à lui donner forme et existence. Dès lors il lui faudra se montrer, dans tous les sens du terme, « endurant ». Revenu de tout, n'éprouvera-t-il pas l'inanité de la vie ? Ne tiendra-t-il pas pour préférable le silence et ne le confondra-t-il pas avec l'éternité, celle qui gouverne le sommeil et les pierres ? Mais peut-être, là où le péril est extrême, surgissent, inattendues, les bonnes grâces du Divin.

Simone Weil avait déjà tout dit : « Il est donné à très peu d'esprits de découvrir que les choses et les êtres existent et sans doute devons-nous nous en féliciter. La découverte d'une existence autre que la nôtre produit un saisissement dont il est malaisé de se remettre. » Elle nous commotionne ou nous foudroie ou nous paralyse ou nous jette dans le vertige de l'insensé, de l'impensable, peu importe la tonalité de l'expérience, elle suspend le cours de l'existence et nous en oublions d'aller, d'un pas assuré, à l'une de nos tâches. Par bonheur, nous nous promenons, à une distance raisonnable, à la surface de ces signes, courbures, formes qui désignent un enfant, une jeune pousse, un champ de ruines, un visage en détresse. À la suite de ce travail de déchiffrage, nous nous conduisons d'une manière convenable, évitant ce qu'il vaut mieux contourner, nous rapprochant de ce qui mérite d'être examiné avec plus de soin.

Si nous rendons hommage à tout ce qui mérite notre considération, c'est-à-dire d'être considéré, nous n'avancerons guère dans nos parcours et nos projets. Nous ne devions notre sauvegarde qu'à une certaine indifférence. Étudiant, j'ai raté certains cours parce que la ville me retenait par telle façade, par l'affairement des ménagères. J'ai manqué, pour cette même raison, des rendez-vous qui n'étaient pas seulement d'ordre amoureux. Enseignant, je regagnais mon collège en flânant le long d'une campagne heureuse de s'ébrouer au soleil. Mes élèves en étaient réduits à m'attendre avant d'être conduits à la permanence. J'ai eu honte de mon inconduite et j'ai pris la résolution de marcher la tête haute, espérant que de merveilleux nuages ne suspendraient pas mon parcours. Il nous faut nous soumettre aux devoirs de notre tâche sans succomber à une totale indifférence : le monde se réduirait alors à un ensemble de signaux à décoder le plus vite possible. Christian Bobin évoque la misère extrême d'un homme ignorant de ce que nous devons aux choses et aux êtres. « Tu ne vas pas quand même passer ta vie dans l'adoration d'un brin d'herbe, me disait celui qui passait sa vie dans l'adoration d'un monde où rien ne pousse, pas même un brin d'herbe. »

La lenteur n'est pas la marque d'un esprit dépourvu d'agilité ou d'un tempérament flegmatique. Elle peut signifier que chacune de nos actions importe, que nous ne devons pas l'entreprendre à la hâte avec le souci de nous en débarrasser. Mais quoi, une vie n'est-elle pas, dans son immense part, composée de tâches insignifiantes ? Christian Bobin nous avertit du contraire – et si nous lui donnons raison, nous aurons à vivre autrement : « Il faudrait accomplir toutes choses et même et surtout les plus ordinaires, ouvrir une porte, écrire une lettre, tendre une main, avec le plus grand soin et l'attention la plus vive, comme si le sort du monde et le cours des étoiles en dépendaient et d'ailleurs il est vrai que le sort du monde et le cours des étoiles en dépendent. » À la vérité, nous nous engageons plus que nous ne le pensons dans le cours ordinaire de nos actions : ouvrir une porte nous permet de passer du dehors au dedans, d'une pièce à une autre pièce, et de nous laisser saisir par une autre atmosphère et de voguer sous d'autres cieux. Quand j'ouvre les volets, si ma maison en est pourvue, j'accepte que le monde vienne à moi, je lui adresse un signe d'amitié, je l'assure que nous ferons un bout de chemin ensemble, que nous chercherons à ne pas nous montrer déplaisant l'un à l'égard de l'autre. Si je prête ma main distraitement, c'est parce que je me plie à une vague et noble forme de politesse et qu'autrui existe à peine à mes yeux.

Donnons maintenant la parole à quelques incroyants de l'art contemporain pour lesquels une telle recherche patiente, humble, n'a pas grand sens. À l'évidence, nous pensons à des artistes comme Marcel Duchamp ou Andy Warhol. Le second déclare avoir renoncé au savoir-faire pour se consacrer enfin à l'art, alors que Charles Juliet nous a confié qu'après quelques tâtonnements il croit avoir acquis une certaine maîtrise de son métier. Quelle valeur accorder au sujet (à un soi essentiel) puisque sa devise est « n'importe quoi, mais à telle heure ». Marcel Duchamp insiste avec virulence sur l'insignifiance du motif, de l'objet produit. Dans ces fameuses boîtes qu'il scellera pour qu'on ne les ouvre pas, on enfermera quelque chose qui ne puisse se reconnaître au bruit, et peut-être la boîte sera-t-elle vide. Quand objet il y a, il s'agit d'un objet de série, reproductible à l'infini, telle une boîte de Coca-Cola. L'artiste n'est que le second maillon d'un réseau dont le premier élément est l'industriel. Quand nous n'avons pas affaire à un objet industriel mais à des éléments originels, vierges de toute distinction et de toute forme, comme la couleur ou les mots, la situation demeure inchangée.

« Faire quelque chose, c'est choisir un tube de bleu, un tube de rouge. Le tube, vous l'avez acheté, vous ne l'avez pas fait. C'est un *ready made.* Tous les tubes du monde sont des *ready made.* » L'argument paraît encore plus spécieux lorsque le langage est en question. « La langue est un déjà-là, un *ready made* prêt à l'emploi. Les utilisateurs de la langue ne l'inventent pas. Ils la trouvent ou en déplacent quelques éléments. » Une telle affirmation mérite d'être examinée. À l'évidence, le langage nous préexiste, mais il ne se trouve pas face à nous comme un objet que nous aurions à utiliser. Il nous englobe, nous déborde. Nous logeons en lui. En déplaçant quelques-uns de ces éléments, ou par l'effet de quelques inflexions musicales, c'est le langage tout entier qui tremble sur sa tige, qui se modifie – et l'être parlant, à son tour, prend place au monde en un autre lieu.

L'usage du langage exige beaucoup de scrupules et de considération. C'est pourquoi Charles Juliet considère parfois durant toute une journée la valeur qu'il accordera à un unique mot. Une pareille tâche comporte beaucoup plus de pauses, de moments incertains, de renoncements que d'instants où l'on avance. Une fois de plus, la lenteur n'apparaît pas comme le signe d'un relâchement. Elle signifie les périls (de la banalité, de la cacophonie) auxquels l'artiste entend échapper.

L'exposition selon Warhol semble essentielle. Elle n'est pas seulement une légitime consécration. Sans elle, l'objet n'appartiendrait pas au registre de l'art. D'où le rôle essentiel des galeries, des musées, de certains lieux publics – et l'artiste doit prouver sa compétence en matière d'organisateur de rencontres culturelles. Une œuvre d'une grande qualité, si elle demeurait connue de quelques amateurs, n'aurait pas grande valeur. Il faut l'insérer dans un réseau par lequel elle existe, soumise aux regardeurs qui font le tableau. Les artistes soucieux de leur intériorité éprouvent, au contraire, du scrupule à exposer – donc à se montrer à nu, à subir l'assaut des regards indiscrets.

Je préfère leur pudeur à une telle obscénité, une pudeur légitime puisqu'on exposera ce qu'il y a de plus intime en nous, alors même que nous semblons parler de tout autre chose. Un tel artiste aura souvent eu à choisir entre l'argent, la réussite sociale et la recherche de ce qu'il croit être essentiel en lui et dans le monde. Il ne désire pas la pauvreté mais celle-ci, quand elle existe, le rassure sur sa fidélité à quelques valeurs inestimables (hors de prix). Bien au contraire, pour Warhol, « gagner de l'argent, c'est de l'art. Travailler, c'est de l'art, et faire de bonnes affaires c'est le comble des arts ». Il se dira heureux d'avoir fini comme artiste d'affaires.

LA SAGESSE DU VIN

Les gens modestes, attentifs aux signes mineurs de l'existence sociale, déléguaient au vin le rôle d'« un rite de passage ». Permission était accordée aux enfants de rosir leur eau un jour de communion, puis, un jour solennel, ils buvaient leur premier verre de vin. Il fallait qu'ils fussent bien modestes (et simples d'esprit, de culture) pour ainsi s'esbaudir autour de l'enfant et l'applaudir à la dernière gorgée. C'était si peu de chose et c'était aussi une espèce de rite, tout comme la première cigarette, la première montre (et parfois la seule, on la conserverait toute la vie), le premier vélo. Qui, de nos cnfants, se souvient encore de son premier verre de vin ?

Ainsi « un petit vin de pays ». Que voulez-vous : « Il n'est pas connu. Il n'est peut-être pas fameux. Mais c'est le mien, c'est celui de mon pays, tout comme ces haies que je longeais pour me rendre à l'école et ce ruisseau où je bâtissais des barrages. » Il n'est pas extraordinaire. Pour être plus juste, disons que, pour le goûter et l'aimer, il faut avoir vu le jour et vécu auprès de ses vignes. C'est ainsi qu'il y avait des centaines de milliers de vins, tout autant que d'enclos et de propriétés, avec le goût de ce chai particulier. Les plaines viticoles en menacèrent l'existence, mais aussi les progrès de la viticulture qui, en les améliorant, les rapprochent les uns des autres. Ces vins-là n'ont pas honte de devenir parfois de la piquette. C'est leur manière de prendre de l'âge, comme ces petits vieux courbés sur leur canne et qui, au fil des ans, ont maintenant un fichu caractère. Les gens du village s'amusent à voir les étrangers boire à contrecœur leur piquette, tout comme les coups de soleil des peaux roussâtres du Nord provoquent leur sourire – d'autant plus qu'en toute franchise, ce goût de vin passé n'est pas pour leur déplaire.

Ainsi les bouteilles de vin dressées sur la table d'une auberge de campagne ou d'un restaurant ouvrier. Elles sont là à côté du pain, des assiettes, car vous qui êtes parfois l'hôte de passage, vous êtes attendu. Un signe discret d'hospitalité et d'amitié. Avant même le début du repas, un voisin remplira votre verre, puis le sien, et il trinquera et deviendra un peu plus votre voisin. Ne le refusez pas. Ne faites pas la grimace. On vous pardonnerait difficilement l'offense. Vous êtes au courant de cet usage et, tandis que vous cheminez, vous endurez mieux la fatigue. Au bout du chemin, à l'entrée du village, une table garnie de vin et de pain vous attend. Avant même de vous mettre à l'aise, de desserrer votre ceinture ou vos chaussures, vous éprouverez une impression de délassement. Il n'est pas interdit de commander une bonne bouteille pour régaler la compagnie. On la débouche avec quelque solennité (ce n'est pas tous les jours dimanche) et circonspection (s'il ne répondait pas à l'attente ?).

Un certain usage du vin a pour effet de mettre en veilleuse toutes nos fonctions. L'ivresse exalte puis conduit à l'engourdissement. L'authentique ivrogne prend plaisir à plonger peu à peu dans l'hébétude. S'il boit sans trop se presser, c'est pour mieux goûter cette descente en direction de la torpeur. Il possède assez d'expérience pour prendre conscience de ce qui se passe à chaque point de son organisme et les signes qu'il reçoit lui adressent le même message. Il titube, il chaloupe au lieu d'avancer. Sa langue a perdu toute agilité et tournoie avec peine dans sa bouche. Il a la parole embarrassée et s'y reprend à plusieurs reprises pour prononcer la moindre phrase. Son corps prend du volume et devient une chair molle, spongieuse. S'il se livre à la boisson, ce n'est pas au premier chef pour oublier, mais pour savourer une métamorphose de cette taille. Elle tarde parfois à aboutir, il se persuade alors qu'elle est sur le point de surgir et il s'exclame : « Qu'est-ce que je tiens ! Mais qu'est-ce que je tiens ! » Il s'affale enfin, ivre mort, restitué à une conscience opaque, à une plénitude sans faille.

Ce n'est pas de cette cérémonie que j'entends parler mais d'un ralentissement de la durée (presque d'une suspension) qui s'opère dans la clarté, avec un air de légèreté.

Ainsi, en cette matinée lumineuse d'avril, il s'est assis, seul, à la terrasse d'un café, face à un verre de rosé auquel il n'a pas encore touché. Il paraît heureux. Est-ce seulement l'effet d'un ciel serein, d'une rue accueillante et qu'aucune foule ne tourmente ? À tel point que le verre de rosé constituerait à peine un alibi. Ou, au contraire, jouait-il un rôle majeur en conspirant avec les autres éléments de cette matinée exceptionnelle ? Comme si le verre, dans sa transparence, dans son aptitude à capter la lumière, ainsi posé sur la table, entrait en convenance avec la légèreté du monde et permettait à un homme de le contempler, sans souci de changer quoi que ce soit à l'ordre du monde.

Un petit blanc sur le zinc, un petit blanc parce qu'il est censé exciter tout comme le café, et que l'on aura besoin de ce stimulant avant de se jeter dans la ville et d'en affronter la turbulence. En principe on consomme au zinc parce que l'on sera servi plus vite et à meilleur prix. Les consommateurs rangés ainsi côte à côte parlent plus facilement entre eux et s'accordent une sorte de talent. Les brèves de comptoir. Assis à une table, ils ne se trouveraient pas en représentation et n'inventeraient pas de bonnes histoires, de « bien bonnes » qu'on attend du parfait métropolitain. En position instable, ils jouent de leur corps, de leurs prunelles, ils écoutent les mouvements de la salle, les entrées et sorties. Ils sont, en quelque sorte, de l'autre côté de l'établissement, à l'égal du patron, des serveurs. Parfois un consommateur s'incruste. Le petit blanc n'a pas eu l'effet escompté ou encore personne ne l'attend nulle part ailleurs ou bien les soucis sont trop pesants. Il rêvasse à même le comptoir, ignorant ceux qui, derrière lui, désireraient prendre place. Installé dans un recoin, il pourrait s'avachir à son aise – si le patron le permettait.

Ainsi les bouteilles que l'on a mises au frais au cours d'un pique-nique. A-t-on élu ce coin-là parce qu'il paraît calme ou qu'il propose un paysage superbe et parce qu'il dispose d'ombrages ? N'est-ce pas plutôt parce qu'il sera possible d'enfouir les bouteilles dans une eau vive ? Les mieux équipés disposent d'une glacière plus sûre et plus pratique pour ce genre d'opération. Ils continuent cependant de plonger des bouteilles dans le torrent (il vaut mieux que ce soit un torrent, que le vin contracte des noces paradoxales avec une eau venue des glaciers). Le territoire y gagne une assise et des contours moins incertains. Là-bas le véhicule, ici la table ou les couvertures et encore dans un autre là-bas les bouteilles. Un cercle ou un triangle magique d'amis. La prudence conseille d'attendre que les bouteilles aient gagné en fraîcheur. Mais est-il possible d'attendre ? Le signal donné, les enfants lâchent le ballon et se précipitent pour rapporter à leurs parents les trésors. Des pique-niqueurs enterrent parfois leurs bouteilles dans la mer. C'est là une stratégie du même ordre, mais pareille association du vin et du salé m'inquiète.

Je rapporte la vigne au paysage d'un certain Midi pauvre, même si ce Midi connut des heures de gloire, de splendides hôtels particuliers et des « folies ». En ce temps-là, des familles subsistaient dans des villages sans gloire. Tout y était d'une allure modeste, sans prétention excessive : la mairie, l'école, la place centrale, les vêtements, les vieux et les vieilles sur leur banc, les moustiquaires au-dehors des fenêtres, parfois une petite cour à l'arrière de la maison, en général de taille médiocre. Ils étaient pauvres en paroles, sinon quelques commères. La vigne recouvrait les terres. Elle n'avait pas la splendeur des blés d'or ou la beauté ou la tendresse émouvante des vergers du Lot-et-Garonne ou la superbe des Alpes ou l'aménité de la Riviera française. Mais elle était en accord avec leur enfance, leurs manières. Beaucoup plus qu'à la grappe, leur vin se rapportait à ce qu'il y a de rude et de noueux et parfois de pathétique dans les ceps. Eux-mêmes avec l'âge se nouaient, se ramassaient, se tourmentaient autour de leur tige originelle. Nous comprenons leur colère quand il fut question de maltraiter leurs vignobles. Il y eut la volonté de protéger leur survie mais aussi une violente colère à l'idée qu'on les tenait pour quantité négligeable à travers ce qu'ils produisaient et qui était comme leur œuvre.

Je ne me complais pas dans la pauvreté des humbles. Je tiens en estime l'extraordinaire dignité qui l'accompagnait.

J'associe la vigne à la Méditerranée, pour des raisons sans doute accidentelles mais aussi parce que, dans ce paysage dépouillé, parfois difficile, le vin exprime le même dépouillement. Il nous apparaît non comme un luxe, un privilège, mais comme un élément originel au même titre que le blé, l'amitié, la maternité – à l'encontre de manières ou de procédures plus élaborées et sophistiquées. Cet homme tient un verre à la main, vêtu seulement d'un pantalon et d'une chemise, les yeux absents, les mains rugueuses (il n'a pas les doigts soignés, un peu gras, gourmands jusqu'à l'obscénité, de nos prélats en train de s'emparer d'un fruit précieux ou de gober une huître). Il a bu une gorgée. Il s'apprêtait à dire un mot et il préfère se taire. Il lui suffit de s'estimer en accord avec ceux et ce qui l'entourent.

J'associe donc la vigne au soleil, à la pierre,

à la sécheresse, pourquoi pas à l'aridité. Il lui arrive parfois de mettre le feu aux gosiers. Complices de l'incendie qui couve dans les forêts voisines et de l'ardeur du ciel, les jeunes gens ont oublié les ombres bienveillantes. Ils rougeoient dans les braises du soleil déclinant puis dans celles d'un feu qu'ils ont allumé. Ils avivent les flammes de leur corps en ingurgitant un rosé dont l'apparente fraîcheur ne les abuse point. Ils grillent, ils endurent voluptueusement les affres d'être montés ensemble sur ce bûcher vivant. Jusqu'à l'aube car, ainsi roussis, il n'est pas question de trouver le sommeil.

Ordonner une cave, c'est se livrer à un acte de foi dans l'avenir. Il faudra du temps pour que les bouteilles vieillissent et espérer que ce temps-là ne nous manquera pas à la suite d'un accident ou d'une échéance fatale. On les destine à une communion, au mariage d'un enfant, mais l'enfant se mariera-t-il et s'il se marie, acceptera-t-il qu'on célèbre l'événement en famille ? Des bouteilles destinées à un repas d'amis ne comportent pas un aspect aussi solennel, une durée familiale faite de deuils, de bonheurs, de séparations, de réconciliations. Au moment de quérir la bouteille, le chef de famille, de surcroît caviste, se souvient de l'époque lointaine où il la logea chez lui avant d'en prendre soin. Une vieille bouteille achetée chez un négociant aura vieilli sans nous et il y a quelque inconvenance à nous en saisir à la fleur de l'âge, sans rien connaître de sa vie antérieure.

Vin d'oranges, vin de pêches, vin de noix, toutes ces douceurs qu'une dame s'accorde et que l'on autorise, en petite quantité, aux enfants. Il a fallu du temps pour que les fruits diffusent leur saveur et que le vin devienne une liqueur. J'imagine un appartement ou un petit pavillon, une bâtisse de rang modeste, des meubles d'un autre âge, des paroles chuchotées et ce vin que l'on verse dans des verres désuets au cours d'une après-midi languissante. Ailleurs le soleil écrase la terre. Des hommes s'énervent. Le faste se déclare et il éclabousse les plus démunis : en cette pièce, à la tapisserie quelconque recouverte de fleurs, un halte-là a été prononcé à l'encontre de la violence et je ne connais pas de façon plus élégante d'accueillir les langueurs d'une après-midi estivale de province.

Si la poésie a pour caractère de nous révéler une part de l'Être, si elle naît parfois d'un accord subtil, discret, émouvant des hommes, des lieux et des saisons, nous devons admettre que les usages ordinaires du vin sont poétiques.

MODERATO CANTABILE

La modération, une vertu mineure et insidieuse ? Ne faut-il pas user d'outrance pour s'égaler au sublime, pour inventer d'autres valeurs, d'autres mondes ? Michel-Ange, Napoléon, Hegel, Hartung ne firent pas dans la demi-mesure. La modération : de la tiédeur, un manque d'imagination, la peur du risque ? Elle ne se confond pas avec le juste milieu. Elle ne patauge pas dans les marécages de la médiocrité. Pour échapper à des excès contraires, il lui faut cheminer sur les crêtes, guider d'une main ferme un attelage indocile. Une vertu d'ordre privé qui s'adresse aux seuls individus ? Nous verrons plus loin qu'elle concerne aussi l'immense champ du politique.

La modération serait une vertu cardinale si nous étions, par notre condition, portés aux excès (la *pleonexia* des Grecs) et si ceux-ci, non seulement engendraient les conflits entre les hommes mais aussi nous détournaient de notre destinée. L'avoir, le pouvoir, le valoir inquiéteraient chacun d'entre nous. L'avoir parce que la possession nous met à l'abri du besoin et qu'il étoffe notre identité. Mais nous pouvons ainsi nous dispenser d'exister par nous-même quand nos biens semblent répondre pour nous et c'est souvent en exploitant nos semblables que nous augmentons notre capital.

Le pouvoir. L'homme est un « je peux », un ensemble de capacités sensori-motrices ou intellectuelles. Le monde cesse de m'être étranger, voire hostile, quand je le maîtrise. Seulement, notre liberté se heurte à d'autres libertés et nous croyons que notre choix se limite à soumettre ou à être soumis. La servitude de quelques-uns de nos semblables nous assurerait de notre pouvoir.

Le valoir. La faveur dont nous jouissons auprès des autres hommes authentifie notre réussite, notre excellence. De là, nos tentatives pour séduire, corrompre, nous imposer, et l'idée que notre être se confond avec l'image que l'on a de nous.

Ces analyses montrent qu'il existe un effet d'entraînement auquel il est difficile de résister. Je suis sans cesse tenté d'avoir plus, de pouvoir davantage, de valoir mieux, et ceci à la suite d'une fragilité affective essentielle à notre condition. La modération, attitude de fermeté, de vigilance, de résistance à l'égard de notre pathos, peut seule nous détourner de la folie et de la barbarie. Quand l'homme est habité par une légitime ambition, il lui faut souvent chasser les mauvais démons qui l'assaillent. Il est vrai qu'il existe des attitudes plus nobles. Si j'étais sûr de ma valeur, je n'accumulerais pas les signes de distinction sociale. Si je m'appréhendais comme une liberté entière et indéfectible, je ne chercherais pas à asservir les autres. Nous évoquerions la sainteté au regard de laquelle les marques de la réussite sont peu de chose, la générosité qui me donne la conscience d'être libre et d'avoir à respecter la liberté des autres pour entamer avec eux un dialogue d'égal à égal. Seulement, notre condition ordinaire passe par des compromis, des luttes gagnées ou perdues, des libertés octroyées puis refusées.

D'autres raisons nous incitent à prendre en considération cette vertu de la modération. Elles ont rapport à la frénésie de l'économique ou de la technologie. On a pu croire que la technologie était neutre dans son essence et qu'elle dépendait de l'usage que nous en faisions – librement. Une telle analyse est-elle encore fondée quand celle-ci semble avoir acquis une autonomie certaine, posséder sa propre logique, susciter un type de culture, d'individus, d'échanges, comme en témoignent les catastrophes écologiques, le dérèglement des marchés, l'évaluation des hommes et des services à l'aune du profit ?

En présence d'un tel péril, la modération apparaît comme un recours, non point pour nous comporter timidement ou pour nous prescrire l'austérité mais pour prendre garde et lutter contre des excès qui menacent le genre humain. Des vœux ne sauraient constituer une politique, laquelle pour être efficace doit s'appuyer sur des forces sociales, des partis, des programmes ambitieux puisqu'il y a lieu de réguler une machine qui s'emballe et, ce faisant, d'aller à l'encontre d'intérêts personnels. Aux hommes politiques et aux citoyens d'agir en ce sens.

Pour illustrer cette vertu de la modération, je décrirai un art du peu. Il n'a pas pour fin d'inciter les hommes à se contenter du peu dont ils disposent et de les dissuader de revendiquer davantage. Je voudrais montrer comment certains êtres se montrent inventifs à partir du peu dont ils disposent. Et, l'âge venant, il nous faut faire de nécessité vertu.

L'art du peu n'est pas peu de chose. Il nécessite de l'ingéniosité, on n'a pas le droit à l'erreur, aux chutes, car le projet et les moyens préexistent à l'individu qui doit s'en satisfaire. Il manifeste une manière de vivre, de la sagesse : ne pas récriminer, ne pas demander la lune, tirer parti de ce que les circonstances nous offrent, ne pas regarder amèrement ceux qui se situent en haut de l'échelle sociale, mais procéder selon ses goûts et sa fortune avant d'éprouver la fierté d'avoir tenté.

J'ai visité un certain nombre de jardins que l'on nomme ouvriers. Je me suis entretenu avec les hommes qui en avaient la passion, parce que ces gens-là me plaisaient, qu'il n'était pas besoin de longs discours pour nous entendre et aussi parce qu'une telle pratique semblait suspecte. Des politiques et des sociologues y ont vu l'effet d'une stratégie des classes dominantes. Ainsi occupés à leurs légumes et à leurs cabanes, ils en oublieraient de revendiquer, de militer. À l'intérieur de leur potager, ils rompraient le pacte qui les unissait aux autres ouvriers. Une occupation aussi saine leur permettrait de récupérer et de travailler avec plus d'ardeur le lendemain matin. Enfin, ce serait là un complément de salaire que le patron n'aurait pas à verser.

Je ne me prononce pas sur cette analyse. J'ai cru découvrir dans ces enclos minuscules les signes d'un bonheur qui attirait mon estime. Il n'a pas pour source le confort, la réussite, mais la capacité de savourer les plaisirs simples, de s'accorder à eux, et souvent de les inventer. Ce bonheur, ils ne l'arrachent pas à d'autres. Il doit arriver qu'ils le partagent avec des amis, des cousins, mais je les soupçonne de posséder la vertu de s'y complaire en solitaires, avec pour seul compagnon leur jardin. Je les imagine sans peine lui parlant, lui demandant de les excuser pour un retard, parfois ronchonnant contre lui parce qu'il ne met pas de bonne volonté à collaborer.

Un enclos aussi médiocre mérite-t-il toutes ces attentions ? ou encore ne pourraient-ils pas laisser en paix cette maigre terre ? Je les ai vus acharnés à vivre et à survivre, à défier la précarité de leur condition, la maladie, plus tard la vieillesse et la mort. En se courbant si souvent sur leurs plants, ils me donnent l'impression de vivre debout parce qu'ils affrontent leur destin. À Grenoble, à Paris, ils entendent le grondement d'immeubles qui s'approchent de leur jardin. Ils résistent à la marée suburbaine. Il y a de l'héroïsme dans ce combat d'arrière-garde, de la grandeur dans ce baroud d'honneur.

Depuis quelques années, je pratique à ma manière l'art du peu. J'essaie de transformer la passivité en action. Je marche moins mais je regarde mieux. À défaut d'agir, je songe. Je ne gambade plus avec les jambes mais avec le regard. J'aimerais convertir les déficits en qualités ; n'étant plus acteur, devenir un spectateur privilégié.

Avec l'âge, beaucoup d'entre nous pressent le pas. Ils s'aperçoivent qu'il y a tant de choses à voir, tant de mets à goûter, tant de pays à visiter, tant d'existences à côtoyer. Comment expliquer une pareille fringale ? Certains furent privés, durant leur vie active, et du dessert, et du plat du jour. Des congés étriqués leur permirent seulement de récupérer avant de travailler à nouveau. Ils espèrent découvrir enfin leurs passions. La pensée de la mort les incite à ne plus tarder. C'est ainsi que des étudiants, quelques mois avant leurs examens, se jettent dans le travail parce que le temps leur est compté. Par nonchalance, et aussi parce qu'il me paraît improbable de tout épuiser et qu'il me fut possible de trouver le bonheur là où je le situais, je manifeste moins de gourmandise et de hâte. J'ignore quelle en est la substance. En revanche, je sais ce qui m'en détourna : le bavardage, la mesquinerie, au fond « les vanités ».

Je pense que l'essentiel ne se capture pas. Qui suis-je ? Qui fus-je ? Dans quelles circonstances ai-je causé du tort à mes semblables ? Mais l'essentiel est encore autre chose que je ne parviens pas à préciser. Mon être me paraît si immense et si obscur. La demeure est vaste : comment guider mes pas dans cette enfilade de pièces et de corridors ? Je risque de trébucher. J'ouvre avec circonspection mes portes. Je les referme avec les mêmes précautions. Je regarde sous les lits, dans les placards. Je soupçonne des soupirails dans lesquels il me faut prendre garde de ne pas plonger. Ma torche donne des signes de faiblesse. Demain, je reviendrai et je m'orienterai mieux. Mais demain, la demeure aura-t-elle encore ses portes entrouvertes ? J'époussette mes vêtements pour ne pas inquiéter mes proches au retour de mon expédition.

J'ai besoin de silence pour réfléchir. Je n'ai pas honte de paraître inattentif à ce qui se trame autour de moi. Quelques parents me reprochent de ne pas répondre à leurs questions. C'est qu'ils ne me posent pas des questions qui me concernent et auxquelles, d'ailleurs, je n'ai pas de réponse. Comme je ne quitte guère mon appartement, ils mettent mon immobilité sur le compte de la fatigue et d'un manque de curiosité. Ils insistent d'une façon touchante. Le car attend. Ils me vantent son confort et un repas de qualité a été prévu pour le déjeuner de midi. Je les raccompagne en douceur jusqu'à leur bus. Ils ne se doutent pas que j'entreprends un autre voyage qui me mènera jusqu'à mon enfance. Mon passé n'a pas encore pris forme. Il me reste à le parcourir, à l'achever, à le vivre avec des couleurs plus vives. Je me permets de l'enjoliver en connaissance de cause : un peu plus d'or dans les moissons, une maîtresse d'école plus rieuse qu'elle ne fut et l'enclume du forgeron qui résonne avec plus de vigueur. Je condamne la porte de ma chambre. Lorsque j'ai été dérangé, j'ai de la peine à rejoindre mes vertes années. Il est des écrivains que leur famille se garde de divertir : « Attention, il écrit. » En ce qui me concerne, les miens devraient pousser un « chut » à la venue d'un importun et dire : « Attention, il rêve. »

L'ALTERNANCE DES RYTHMES
Intermède

Il vient un moment où un auteur a le devoir de douter de ce qu'il avançait avec une belle assurance. Je serai donc en débat avec moi-même. Je ne disposerai pas mes arguments en rangs serrés – mais l'ai-je jamais fait ? Je céderai du terrain à l'adversaire, je le reprendrai avant de le lui laisser à nouveau. Le lecteur voudra bien ne pas me perdre de vue au cours de ces avancées, replis et déploiements.

J'eus recours à mon ami Henri Leroux. Il eut pour rôle de m'inquiéter. Il le fit adroitement et vint à mon secours quand j'étais en mauvaise posture.

Ainsi est-il bon d'associer la lenteur à la grâce ? Un mouvement au ralenti possède une vertu qu'il n'avait pas, exécuté à une plus grande vitesse. Des gestes brusques, une voix entrecoupée sont rarement jugés gracieux et notre regard s'attarde volontiers sur un corps endormi. Mais le ralenti en appelle à un mouvement qui s'est produit à un rythme plus soutenu, et quand il devient un procédé, il lasse. Un corps au repos nous plaît parce qu'il exprime l'abandon, une innocence feinte ou réelle. Ce qui nous enchante dans la grâce, c'est l'alliance constatée de la nécessité et de la liberté. De la nécessité : les mouvements exécutés ne peuvent pas, ne doivent pas être autres. De la liberté : ils ne se sont pas produits sous une quelconque contrainte, par l'effet de déterminations repérables. L'improbable prend forme et il a perdu son côté aléatoire, contingent. Nous sommes attentifs à l'enchaînement des gestes, à l'harmonie d'un vivant et de son milieu, d'un acteur et d'une musique. La lenteur ou la vitesse ne sont pas les facteurs essentiels mais plutôt un sentiment d'harmonie d'un ensemble dans lequel chaque élément est cause et effet, partie et totalité.

La lenteur est-elle ou non une vertu ? Nous en apprécions diversement les manifestations. L'apathie inquiète. Apathie, aboulie, on ne sait plus trop. Si un individu agit avec autant de peine, c'est que le monde ne le sollicite plus ou que, de la stimulation à l'action, le parcours se produit dans de mauvaises conditions. L'apathie relève de la pathologie mais elle rejaillit sur la lenteur. N'est-elle pas, elle aussi, le signe que le trajet s'effectue d'une façon imparfaite ? On admettra qu'un homme soit lent, mais que dire d'un esprit lent s'il est dans la nature de l'esprit de jaillir, de bondir, de rebondir ?

Comment plaider la cause de l'inertie (est-elle encore une forme de lenteur ?) ? Elle peut se révéler comme une stratégie, un calcul payant : laisser le temps faire son œuvre, ne point agir pour ne pas mécontenter. Il n'existe pas de difficultés qui ne se résolvent d'elles-mêmes. Dans la stupeur, une personne se pétrifie. Or un homme lent progresse quand il le désire.

L'opinion tolère davantage la nonchalance. Un signe de paresse, une mauvaise perception de ce que la société et la vie exigent de nous avant de nous admettre en son sein ; mais peut-être aussi une forme de dédain à l'égard de l'urgence, une souveraineté proche de celle du lion. Tant de réserves accumulées se lisent sur les êtres de cette espèce : ils donnent l'impression d'une force tranquille, qui s'exprimera par des coups de griffes redoutables.

Les individus flegmatiques jouissent d'une assez bonne réputation. Ils tiendraient cette qualité de la culture anglo-saxonne – ou peut-être ont-ils appris par eux-mêmes la maîtrise de soi. Face à un événement grave, ils ne perdent pas leur sang-froid. Ils nous font grâce de pitoyables crises de nerfs.

Il nous est conseillé de nous montrer *cool*, de ne pas céder au *stress*. Cet impératif d'ordre social n'est pas un mode d'être fondamental, celui que nous prêtons à la lenteur. Il vaut dans les situations de détente. Il vise à faciliter la socialité, la convivialité. Il s'inscrit dans une quête du plaisir. Il est donc un moyen et non point une recherche de notre vérité ou de celle du monde.

La lenteur doit-elle être associée à des valeurs que nous jugeons précieuses ? La lenteur et la passion des métamorphoses. Elle nous permet de mettre à l'épreuve un être, un paysage, un événement, et de voir ce que le temps fera d'eux. Ce n'est pas seulement le désir de les évaluer mais plutôt celui de les suivre dans leurs métamorphoses : la nuit quand elle se mêle aux eaux sombres d'un étang et ce visage qui peu à peu se révèle à qui l'observe. La modernité n'en a cure. Rien n'est fait, dit-elle, pour durer. Il y a tant d'événements, d'êtres jetables. Quant à ceux qui possèdent plus de dignité, nous devons également les laisser ou les faire disparaître. Leur destin est dans la brièveté. Il paraîtrait inconvenant qu'ils prétendent occuper plus longuement le devant de la scène. À un être qui se perpétue et se métamorphose dans le devenir, préférons des instantanés, des variantes qui se succèdent sans aucun lien de parenté.

La lenteur et la mémoire. En allant vite, le présent entraîne après lui les instants qui l'ont précédé : ainsi retenus dans un seul et même sillage, ils ne risquent pas d'être décrochés et de verser dans l'oubli. Quand une durée s'étire, le passé s'estompe dans un lointain confus, dans une histoire ancienne et à laquelle nous ne prêtons plus d'intérêt. Il nous suffit d'en être conscients, de nous exercer à lutter contre cette forme de séparation. À la suite de quoi nous augmenterons notre capacité à nous souvenir. Il existe donc deux sortes de mémoire : la première facile et faible, la seconde plus rare et plus forte.

La lenteur et l'originalité. Un homme inspiré invente dans les meilleurs délais les meilleures solutions. Il ne doit pas musarder, sous peine de ne plus retrouver le geste créateur. D'autres individus ne bénéficient pas de la même inspiration. S'ils répondent aussi vivement à la question posée, c'est qu'ils se reposent sur des savoir-faire acquis. Car il faut du temps pour inventer une nouvelle voie et pour se modifier soi-même. La vitesse ne sait pas qu'elle se répète. La lenteur le sait, elle en éprouve de la confusion et elle se montre circonspecte à l'égard de ce qu'elle croit avoir trouvé.

La lenteur et l'œuvre. Il serait déplorable de traîner dans l'accomplissement d'une tâche que l'on pourrait mener à bien avec moins de nonchalance – à la manière d'un employé dont la facture s'allonge en proportion du temps passé à réparer un objet. Néanmoins, nous sommes enclins à croire que dans la lenteur les choses se font mieux. Nous distinguons le domaine des produits dont on peut calculer avec précision la durée nécessaire à leur exécution et celui de l'œuvre qui voit le jour à travers repentirs, ébauches, difficultés suscités par le travail lui-même. Une telle distinction a-t-elle encore un sens ? Nous assistons à la naissance d'une nouvelle catégorie d'objets esthétiques. Ils ne sont pas seulement reproductibles à l'infini mais de plus ils ne gardent pas dans leur texture les détours, les embarras nécessaires à leur émergence. Le cybernéticien prend peu à peu la place de l'artisan.

Les bonnes intentions (celles qui transpirent dans mon sermon) ne suffiraient pas. Nous avons tous à tenir compte des données de l'époque dans laquelle nous vivons. Or celle-ci se caractérise par des changements perpétuels qui exigent de notre part une grande capacité d'adaptation et, par conséquent, de la rapidité dans nos conduites. Les moins lestes, qu'il s'agisse des individus ou des nations, ne survivront pas ou figureront au nombre des laissés-pour-compte. Les plus mobiles l'emporteront. La lenteur pouvait se concevoir à l'intérieur de sociétés traditionnelles, presque figées.

À titre d'exemple, je délaisserai le champ de l'économie au profit du sport et plus précisément du rugby. La puissance, le courage, la tonicité dans l'engagement en étaient les vertus majeures. Elles s'estompent aujourd'hui au bénéfice de la mobilité : dans le geste, dans l'anticipation et encore davantage dans la prestesse du coup d'œil. Nulle équipe ne peut triompher sans de telles qualités et on le comprend pour des raisons en quelque sorte techniques. Pour progresser jusqu'à la Terre promise, il est nécessaire de déstabiliser un adversaire lui-même fort bien organisé. On ne le peut qu'en inventant des schémas, des figures auxquelles il n'a pas le temps de répondre. Si vous lui laissez un délai suffisant pour occuper de nouveau le terrain, vous ne percerez jamais son rideau défensif. Cet exemple me paraît d'autant plus significatif qu'il est emprunté à un jeu dans lequel la puissance, l'impact (le nombre de quintaux d'un pack) a cédé le pas à la rapidité dans la conception et l'exécution.

Pour être tout à fait juste, au-delà de la rapidité importent encore davantage le tempo, la fluidité, un rapport de convenance entre les différents joueurs – ce *kairos* (le moment opportun) que les Grecs ont célébré. Un élément intuitif, un surcroît de grâce obtenu par l'entraînement (mais il n'y suffit pas) qui permet de concrétiser les belles intentions de jeu.

Revenons au monde de la production. Il est loin d'être certain que les accélérations dans la cadence du travail, dans la multiplication des marchandises, soient bénéfiques et souhaitables. Des analystes y voient au contraire une nouvelle forme d'illusion, d'aliénation. De toute manière, il convient de distinguer le domaine de l'économique et celui de la vie sociale, des existences individuelles dans lesquelles il ne s'agit pas d'être efficace, performant à tout prix, la célérité n'étant qu'une des manières possibles de vivre une destinée. Pour ma part, je préfère caresser qu'empoigner, emprunter sur mon chemin quelques détours avenants que filer droit au but, demeurer au seuil d'un visage, d'un être, avant de l'approcher, passer pour un bêta plutôt que de paraître informé en toutes choses.

Dans ma balourdise et parce que son évocation aurait nui à mon éloge de la lenteur, j'ai tardé à vous parler de la vivacité. Elle ne témoigne pas seulement de la rapidité d'un esprit. Elle nous laisse croire, et c'est plus important, qu'une personne fait le serment difficile à tenir de la gaieté et qu'elle consent à nous divertir. Il arrive qu'elle nous entraîne dans le tourbillon de ses reparties et nous rende à notre tour plus intelligent, à moins qu'elle ne nous laisse sur place interdit, stupide. Elle a pour elle la beauté, celle qui accompagne la sveltesse des formes, la grâce des mouvements. Une servante sémillante, tout à la fois, n'a pas la langue dans sa poche et possède une taille fine, un minois amusant. Je lui accorde davantage. Elle surprend son entourage. La parole précède chez elle la pensée, le geste l'intention. C'est le miracle qui plongeait dans l'admiration un Merleau-Ponty : celui d'une spontanéité intelligente, d'un corps avisé. Une telle personne n'a pas à réfléchir pour inventer la réponse la plus appropriée à une situation relativement inédite. Voilà de quoi mettre en échec l'opinion commune qui délègue à l'esprit la pensée et au corps (ou au langage) la réalisation naturelle de ce qui a été préalablement élaboré par une conscience.

Nous en avons l'exemple dans le sport, au tennis, au rugby : le grand joueur doit opérer le bon choix immédiatement avant d'avoir délibéré à propos de ce qu'il conviendrait d'accomplir, mais aussi dans une conversation animée dans laquelle les mots semblent précéder la mise en place des idées. Nous aurions à reconnaître plusieurs stades dans le débat d'un être vivant et du monde. À un premier niveau, la réaction se produit instinctivement ou en vertu d'un pur réflexe. Quand, par la suite, la conscience intervient, un délai s'interpose entre une situation et notre propre conduite. Il y a lieu de réfléchir, d'expliciter les données du problème, puis de décider. À un autre stade, un individu se montre capable de passer outre ce moment intermédiaire et sa conduite témoignera d'une intelligence incontestable, qui est autre chose que la mise en œuvre d'habitudes ou de mécanismes ajustés. Ainsi procèdent le demi d'ouverture au rugby ou le joueur de tennis à la volée quand ils exercent leur talent à un haut niveau.

Mais cette divine inspiration est plus rare que nous ne le supposons. Elle masque souvent des procédés et ceux-ci à la longue nous lassent. Nous accordons le bénéfice de la vivacité à une personne quand elle nous surprend. Mais la surprise a parfois été suscitée à peu de frais. Il suffit d'omettre les relais, les chaînons intermédiaires – ou encore de prendre le contre-pied de l'opinion répandue pour que nous créditions une personne d'une pensée rapide. Toute différente était la manière de Jean Cocteau : « Merveilleux et poésie ne me concernent pas. Ils doivent m'attaquer par embuscade. Mon itinéraire ne doit pas les prévoir. »

Je tempère mes louanges pour une autre raison. Si toute parole vivante anticipe les mots qui lui donneront sens et forme, la vivacité perd son caractère privilégié. Je lui préfère une parole qui, sans reproduire un langage préexistant, inspecte dans la gravité et parfois avec quelque pesanteur des terres qu'elle aura à inventer. Et ainsi, une nouvelle fois, je me trouve conforté dans l'éloge de la lenteur que j'ai entrepris.

Le choix de la lenteur ne suppose-t-il pas que l'Être consent à répondre à notre attente et qu'il suffit d'un peu de patience pour en connaître les innombrables manifestations ? Ce serait sous-estimer la vertu de la surprise. Celle-ci n'aurait pas seulement un rôle ponctuel : attirer sur nous l'attention, déstabiliser l'autre. Elle nous permettrait de contraindre l'univers à se découvrir. Nous faisons alors le pari que le monde ronronne, qu'il présente le gros dos, qu'il bâille à la pensée que tout se répète. Il feint de s'absenter dès lors que nous prétendons le tirer de sa langueur. Il ne consentira à s'éveiller que si l'étrange semble lui rendre visite. Ainsi d'une personne lassée par tant de phrases convenues, de gestes prévisibles. Il faut alors frapper un grand coup. Julien Sorel met en jeu sa réputation pour émouvoir Mathilde. Le héros de *Belle du Seigneur* se présente à l'Aimée sous un accoutrement qui eût pu sembler grotesque. Pour inaugurer des relations amoureuses, ils ont secoué, déchiré la trame de la durée. Ils vont vite afin que l'effet de surprise ne s'estompe pas à la réflexion ou par l'effet de l'accoutumance.

La conversion en matière de religion, d'art, de philosophie opère avec la même brutalité, même si elle n'est pas l'effet d'une stratégie. Comment un renversement radical entre l'avant et l'après pourrait-il se produire s'il n'y avait pas une dévaluation totale et au fond injustifiable de ce qui auparavant nous tenait à cœur ? Désormais Dieu et non point les biens de la terre, désormais le ravissement esthétique et non point la frivolité des voluptés ordinaires. Désormais la recherche ardue des fondements, du fondamental et non point des à-peu-près de ce qui est le plus probable.

On écrira la même chose de nos relations privilégiées à une ville, à un paysage ou à un pays. Tous se passent fort bien de nous et ne nous prêtent qu'une attention distraite, nous abandonnant quelques oripeaux dont nous nous satisfaisons pour la plupart. Il convient donc, si nous en avons le pouvoir, de les étonner. La ville songera alors que nous ne sommes pas un visiteur comme les autres. Et elle ouvrira les portes de l'invisible qu'elle dérobait aux autres regards. Devant notre volonté farouche et de peur que nous ne nous jetions dans une action barbare, elle nous parlera selon sa musique propre. Habitants, placettes, rivières nous délivreront le don des langues, du moins de cette langue dont les autres perçoivent à peine la musicalité, la tendresse.

S'y prendre avec plus de précautions serait-il de meilleur aloi ? Nous courons le danger de nous enfermer dans un certain type de relations : courtoises, agréables, mais qui ne nous dévoileront pas l'un à l'autre dans l'intimité de notre être. Comment passer de l'amitié à l'amour. « Tu es pour moi comme un frère » : mais n'est-ce pas alors commettre un inceste que de désirer sa propre sœur ? Cette ville est merveilleuse. « On n'y a jamais signalé le moindre pic de pollution. Les bus la desservent à heures régulières. La vie n'y est pas chère. » Une fois appréhendée comme une somme de fonctions, pourrons-nous la ressaisir hagarde, vagabonde, excessive, dangereuse, oui : dangereuse !

Il y aurait donc lieu de privilégier la discontinuité au détriment de la continuité, la brusquerie au détriment de la prudence.

Je poursuivrai ma route dans les parages des incertitudes émouvantes de la philosophie. J'opposerai à ce principe de la surprise un tout autre principe contraire et lui aussi instituant : celui de l'hésitation, en sorte que les détours, les contradictions, les préalables, les retours en arrière logeront au cœur de l'Être et je les débusquerai là où nous les attendons le moins : dans l'univers lui-même.

Cette hésitation qui est le propre de l'homme, qui lui permet d'introduire quelque « bougé » dans le cours des choses et d'accéder ainsi à la conscience, n'est-il pas déjà dans l'ordre du monde qui, lui aussi, tâtonne, hésite, bafouille, bidouille, tripouille, ne poursuit pas, comme un boulet de canon, une trajectoire uniforme ? C'est ainsi que je surprends la roue des saisons. Elles sont toujours en avant, en arrière d'elles-mêmes, elles s'y reprennent à plusieurs fois avant de se déclarer. Ce sont les hommes qui voudraient leur imposer une physionomie reconnaissable, identique à elle-même. En vain. Elles n'en font qu'à leur tête et leurs têtes s'égarent, se perdent dans le flou de l'inexistence, des rêveries chimériques ; elles nous assènent en décembre un coup de chaud et si elles ne craignaient pas d'aller trop loin dans l'extravagance, il neigerait à la mi-juillet, sur la Côte d'Azur. Elles n'osent pas le faire, à moins qu'usant à notre égard de plus de bienveillance que nous-même, elles ne veuillent pas troubler notre tranquillité, celle que l'ordre établi nous procure.

Et cependant qu'est-ce que le printemps sinon quelques embellies fort rares, à tel point que le distrait s'étonne, un matin, que les beaux jours aient déjà disparu et qu'il n'en ait pas perçu les moindres prémices ?

L'hiver auquel nous sommes cependant plus attentifs se joue de notre vigilance. Il pointe le bout du nez. Nous croyons qu'il est là. Les plus entreprenants se félicitaient de saluer la naissance d'une nouvelle saison, c'était un coup pour rien. A-t-il eu, comme l'affirment les optimistes, la bonté de nous prévenir ? N'a-t-il pas plutôt voulu se jouer de nous, s'avancer vers nous, puis prendre la poudre d'escampette ? La neige a été annoncée pour les fêtes de fin d'année. Nous nous réjouissons. Nous nous hâterons ainsi avec plus de gaieté dans les rues pour acheter cadeaux et victuailles. S'il fait froid à pierre fendre, nous allumerons d'étincelantes flambées de bois. En fait, il pleuvra dans la fadeur sur Noël et nouvel an. Puis il nous laissera croire qu'il nous a abandonnés. Un hiver ne décampe pas avec la franchise espérée (mais a-t-il des comptes à nous rendre ?). Il traînaille. Il n'accepte pas de se tenir dans les limites que la convenance accepterait. Il se poste en embuscade. Il alpague ceux qui auraient déposé leurs armes (leurs manteaux et cache-nez). Nous avons compris, enfin, qu'il nous faudra reconquérir pied à pied la douceur de vivre et il fichera souvent le camp lorsque, sous le coup du découragement, nous aurons renoncé à la lutte. Croit-on qu'un vivant aurait pu accéder à la conscience si l'Être du monde avait été tout entier et massivement opaque, nullement traversé par d'éphémères possibles, nullement tenté de nous fausser compagnie au profit d'une image incertaine de lui-même ? L'homme se montre capable de tergiverser, d'être à la fois là et ailleurs, dans ce qui n'est plus et ce qui sera peut-être. Ce constat nous assure qu'un être de notre condition ne peut pas avoir surgi tout à coup, sans que l'univers en ait préparé l'avènement. Mais voilà qui nous choque. Nous admettons aujourd'hui que d'autres vivants plus élémentaires aient précédé l'aventure de l'esprit. Nous nous montrons moins tolérants quand nous mettons en cause une Nature que nous avons décrétée inerte.

Nous avons déjà fait taire le monde. Nous ne supportions pas qu'il se permette des chants plus beaux et plus inouïs que le nôtre. Nous l'avons vidé, grâce au christianisme, des divinités qui le peuplaient et célébraient la beauté d'un fleuve, d'un mont. La science moderne l'a réduit en équations, en algorithmes, l'atome n'étant plus que l'ombre d'un nombre. Il nous reste à franchir quelques pas pour le museler définitivement.

Nous ne l'avons pas tout à fait muselé. L'univers ne sera jamais à notre botte. Nous serions bien imprudents de parier sur son inertie. Loin de nous précipiter quand il semble nous solliciter, il nous faut chaque fois interpréter les signes qu'il nous adresse, puis rester sur nos gardes puisqu'il peut avoir voulu nous égarer. La lenteur, ce serait la nécessité où nous sommes de nous avancer avec une extrême prudence et de ne jamais nous découvrir. Quelques fous bondiront sabre au clair dans un territoire qu'ils croient avoir pacifié. Les *snipers* du destin les abattront sans que nous ayons à nous lamenter sur leur sort.

On ne peut pas ériger la lenteur en une vertu préférable en soi. Il convient, sans doute, d'alterner les rythmes et les saisies. Saisie d'une ville par imprégnation progressive jusqu'à devenir l'un de ses éléments, jusqu'à donner sens au peu signifiant, jusqu'à l'aimer dans ses incertitudes et ce qu'elle a parfois de hideux, mais aussi bien en s'imposant un court délai en jouant contre la montre, virevoltant, cavalcadant, récoltant les images, les sensations, les mots entendus, conscient que nous n'aurons pas une seconde chance. Il en serait de même de la lecture, à travers le ressassement, la prise en compte d'une virgule, d'une note, réexaminant comment le texte a été sédimenté (en écartant les feuillets, les couches), ou à toute allure, sonnant la charge, précédant avec bonheur l'auteur ou retrouvant son cheminement si l'on a emprunté une fausse route en un éclair souverain. L'hypothèse prête au doute. Elle se fonde sur des expériences plus familières. Il est des individus qui ne peuvent écrire, penser au mieux que s'ils adoptent un train soutenu. Qu'ils essaient de modérer la cadence et ils penseront, écriront avec moins de bonheur. L'éphémère exige cette même rapidité. Le passant – et peut-être n'y a-t-il plus que des passants dans notre existence ? – surgit devant nous à l'improviste. Vous êtes surpris, vous vous apprêtez à l'observer et déjà il a disparu de votre regard et vous serez ridicule si vous courez après lui pour le considérer à votre aise.

J'aurais désiré alterner le fugace et le durable. J'évoque, sur le mode de la métaphore, un homme chez lequel les actions rapides et les rythmes lents se succèdent. Il a tranché du bois d'un geste bref et sûr. Puis il le range minutieusement en tas. Sa tâche accomplie, il se décrotte. Il se déchausse. Il cherche des pantoufles déposées sur un escalier intérieur. Lentement. Il mâche ses aliments consciencieusement et (pourquoi pas ?) il sauce son pain dans une assiette odorante. Il a un sommeil lourd. Au moment du réveil, une brume légère continue d'envahir sa conscience.

J'aimerais que ce même individu sache bondir. Riposter vivement à une injustice. Accompagner le cri perçant de certains oiseaux. S'il joue au football, trouer la défense adverse par une passe lumineuse. Déchirer l'aube d'une journée d'été. Manifester de la hardiesse face à une situation précaire. Attraper au vol une chance qui ne lui sera pas offerte une seconde fois.

Désormais, je ne tergiverserai plus. Je ferai taire mes scrupules. Désormais, j'entreprendrai sans nul repentir mon éloge de la lenteur, la seule approche du monde dont je dispose et dont j'entends ne pas m'écarter.

PROCÈS, UTOPIES ET CONSEILS

LA FÉBRILITÉ CULTURELLE

Peut-on légitimement se plaindre d'un excès de culture ? Autant récriminer contre une personne sous prétexte qu'elle est trop intelligente ou trop bienveillante ou trop belle. Le lecteur aura compris que je n'engage pas un tel procès. Il s'agit, en fait, d'une mise en garde. Encore faut-il qu'en annexant des domaines qui ne sont pas les siens, elle n'exténue pas la culture elle-même et ce qui, par quelque côté, lui échappe. Encore faut-il qu'une pareille entreprise n'aboutisse pas à une forme de harcèlement au moment où certains déplorent un peu vite un effacement de la culture.

Un tel zèle s'explique par des raisons légitimes. La première, la plus persistante d'entre elles, c'est que l'humanité progresse, qu'elle se doit de progresser et que ce progrès se traduit par plus de conscience et de liberté, deux valeurs qui caractérisent la culture. On reconnaît le philosophe des Lumières mais aussi bien la pensée de Hegel, de Marx. Les Républiques ont adopté cette philosophie, d'une manière plus ou moins explicite, et elles y ont vu un moyen de rendre, par l'école et le mérite, les chances des enfants plus égales. Il faut sans cesse rendre plus vive, plus efficace l'action culturelle, car la culture et la démocratie ne sauraient être dissociées. Un homme libre c'est un individu qui prend conscience des nécessités qui pèsent sur lui et qui tente de les contrarier, ou mieux, de les utiliser pour s'épanouir. Il se trouve que l'aliénation par le travail n'est pas seule à entraver la destinée d'une personne ou d'un pays. Elle peut être dépossédée d'elle-même en ce qui concerne sa parole, ses désirs, par toutes sortes de confiscations, de manipulations, par une idéologie diffuse dont il faut se départir. La culture n'est pas un luxe, un divertissement comme on l'a souvent répété, mais une tâche pour être soi-même et pour que les autres deviennent eux-mêmes. Elle n'est pas seulement un ensemble de biens dont nous disposerons pour notre plus grand bonheur. Elle nous engage dans un processus de création, soit pour inventer par nous-même, soit pour accueillir, achevant ce qui nous est proposé.

La seconde moitié du XXe siècle a donné plus de force à ces revendications culturelles. En période de prospérité, il a semblé avéré que l'homme n'en était plus à survivre, qu'ayant assouvi ses désirs les plus élémentaires, il pouvait enfin se tourner vers des aspirations moins vitales et plus nobles. La crise économique a donné à son tour de la créance au recours culturel. Il n'y a plus lieu d'astreindre les hommes à la production, en une époque où elle ne mobilise plus toutes les énergies. Les jeunes gens qui tardent à entrer dans la vie active, leurs aînés qui ont été mis en préretraite profiteront de cette oisiveté (forcée) pour se cultiver, pour se livrer à ce qui les passionne véritablement. Puisque l'abondance nous est désormais refusée, sachons vivre dans la qualité le peu qui nous est attribué. Ne regrettons pas le temps où nous étions obèses. Il faut de la sveltesse pour grimper le long des cimes de l'esprit.

Il semble que le chômage, quand il déstructure une existence, ne prédispose pas nécessairement à des activités gratuites. En revanche, les retraités, ou les hommes retirés de la vie active, manifestent une ardeur certaine à se passionner de multiples façons et il semble légitime de les aider à se réaliser parfois tardivement.

Notre siècle a voulu annexer (était-ce une forme d'impérialisme ?) à la culture des pratiques « moins nobles ». Il a pris en considération ce qui, dans une société, exige un savoir-faire élaboré et en unit les membres. La cuisine, le bricolage, le jardinage, les manières d'enterrer et de survivre ont été reconnus comme ils le méritent. Seulement, du fait de leur promotion, ils risquaient de perdre ce qui assurait leur charme et leur originalité : l'immédiateté, ce qui semble aller de soi et dont on a oublié les origines, ce qui s'accomplit dans une complicité souterraine. Ainsi exhibés au-devant de la scène sociale, scrutés, visités, commémorés, ils sont devenus les objets de discours savants, de querelles d'interprétation, d'un métalangage sans rapport avec les mots qui les disaient savoureusement. Notre capital symbolique, le territoire de nos investigations, le nombre de nos badges culturels, en étaient augmentés. Le commentaire d'un repas ressemblait à celui que l'on tient sur un texte, y découvrant des métaphores, des rémanences. La querelle des tenants de la nouvelle cuisine et de la cuisine traditionnelle reproduisait celle des Anciens et des Modernes. J'aurais préféré que l'on s'en tienne à la distinction de deux cultures : l'une officielle, portée au grand jour, voire académique, et une autre plus humble, silencieuse et qui valait bien la première. Le « tout culture » sous couvert d'ouverture aura eu des effets pervers. Nous avons voulu rendre justice à une culture de l'ordinaire. Nous l'avons rabattue sur la culture « noble » en lui infligeant le même traitement.

Il ne nous a pas suffi de coloniser culturellement l'espace. Nous avons prétendu coloniser avec la même indiscrétion le temps.

Au-delà de l'Antiquité nous avons éclairé de nos torches les berceaux de la civilisation, puis les étapes de la préhistoire. Nous avons réveillé des morts qui, en disparaissant, estimaient avoir acquis le repos de la vie éternelle. Ne pas vouloir figurer à la grande parade archéo-culturelle, quelle prétention de leur part ! Nous avons recyclé les autels, les pierres, les crânes, les ossements, les grottes et, une fois exhumés, nous espérons en soutirer le plus grand profit pour notre espèce. Ils nous avaient donné le jour. Ils méritaient, me semble-t-il, par un acte de gratitude bien naturel, que nous songions pieusement, silencieusement à eux.

Le slogan « plus haut », « plus vite », « plus loin » a débordé le cadre des jeux. Il inspire nos politiques culturelles, alors que la culture, cet art des détours, de la vacance, des mots et des pas perdus, aurait dû être, si nous tenons à une devise : « moins haut », « moins vite », « moins loin ».

Si l'action culturelle intervient avec autant d'insistance, s'il arrive qu'on lui reproche son interventionnisme, c'est sans doute parce que nous sommes davantage attentifs aux manques, aux besoins qui sont si divers, aux populations qui sont si nombreuses. N'est-ce pas aussi parce qu'une certaine forme de culture plus diffuse, plus douce, moins consciente, est en train de disparaître ? Et alors il devient nécessaire d'avoir recours à un corps lourd de centres, d'appareils, de spécialistes, d'opérer une mobilisation culturelle sans précédent. Il faudrait tout apprendre aux analphabètes que nous sommes : nous apprendre à danser, à aimer, à mourir, à dire bonjour, à distinguer les couleurs, les saveurs, les plantes, à reconnaître notre sexualité (et particulièrement le centre du plaisir), à fléchir le dos, à traverser les rues, à pleurer, à rire, à nous moucher. L'ampleur de la tâche paraît à la mesure de la carence réelle ou supposée. Le nombre, la qualité, les angoisses des responsables politiques et des réanimateurs laissent entendre que la moindre imprudence susciterait la mort définitive d'un individu ou d'un groupe ou du corps social tout entier. Une brèche a été colmatée (la difficulté à épeler) et voici qu'une autre se déclare (l'insensibilité aux saveurs). Comment interpréter un tel activisme ? Les fronts de la reconquête sont-ils aussi nombreux ? Ne les ouvre-t-on pas en s'y portant ? Notre frénésie à faire ne trouve-t-elle pas là l'occasion de se manifester dans la bonne conscience, ou encore, au terme d'un diagnostic plus sévère, cette entreprise culturelle chercherait-elle à contrôler, à identifier, à pourvoir d'un statut, à occuper les hommes, et cela de leur prime enfance à leur vieillesse, ce qui constituerait une prise en charge, sinon une prise en main, elle aussi sans précédent, d'une population tout entière ? Or, comme la socialité se manifeste par la mobilité, la fluidité, nos entrepreneurs figeraient cette vie qu'ils espèrent réanimer. Même les actions culturelles les moins formalisées gèleraient cette libre circulation des hommes entre eux, et devant cet échec il faudrait avoir recours à d'autres initiatives.

Je me montrerai moins sombre. Persiste la vie douce et tranquille des hommes en société. Ainsi le loto. En hiver, il est de tradition de le mettre en place dans quelques cafés habituels. Il y fait de plus en plus chaud, les joueurs composent ensemble un chahut qui emplit la salle, ponctué d'exclamations, de hurlements, de plaisanteries. Le temps passe sans que l'on se préoccupe de prouver quoi que ce soit. J'en dirai de même d'une rencontre ordinaire de football : les vestiaires, la boue, une belle action, beaucoup de maladresses, quelques réflexions plus ou moins aimables du public (des amis, des parents). Les joueurs regagnent les vestiaires en ce dimanche aux environs de 17 heures. Parfois ils chantent, parfois ils refont le match dans leur tête, ils allument les phares de leurs véhicules et, accompagnés par un ciel bas de novembre, ils retrouvent la quiétude de leur foyer.

La promotion de la culture, ce que j'appelle le « tout culture », atteint-elle son but avoué ? Ne nous empêche-t-elle pas parfois d'affiner nos sens dans l'ordinaire de la vie, sous le prétexte que nous en avons assez fait avec ce qu'il convient de connaître (plutôt que de sentir) en matière de beau et de génie ? Je n'ose pas exprimer mes doutes en mon nom propre. Je préfère m'abriter derrière le livre scintillant de Philippe Meyer, *Paris la grande* (Flammarion), auprès de nos lieux les plus culturels : en l'occurrence nos musées. À vouloir trop en faire, le touriste culturel ne retient pas grand-chose. Il semblerait que, dans notre société marchande, la valeur d'un tableau soit fonction de son prix, à tel point que s'il ne possède pas de cote déterminée, il laissera le visiteur dans le désarroi. C'est pourquoi Philippe Meyer propose avec quelque malice une autre répartition des salles. Non plus des salles consacrées aux antiquités grecques ou égyptiennes, aux peintures françaises, flamandes ou italiennes, mais des œuvres réparties en fonction de leur notoriété, de leur prix. Donc des salles de tableaux hors de prix, des tableaux dispendieux, etc. En l'occurrence notre rapport à l'art ressortirait d'un rite social (quelquefois mondain) et non d'une noble impulsion vers ce qui transcende nos pauvres existences.

Devons-nous pavoiser parce que le Centre Beaubourg reçoit chaque année huit millions de visiteurs ? Ce chiffre prouve-t-il que nos contemporains auraient échappé au blocage culturel et qu'ils osent enfin s'exposer aux formes les plus sublimes de notre civilisation ? Le petit nombre de ceux qui visitent à Beaubourg le musée d'art moderne et contemporain nous convainc du contraire. Les passagers (car ce sont des passagers) prennent plutôt plaisir à gravir l'escalator et à bénéficier d'une belle vue sur la capitale. Il est vrai que par leur cheminement ininterrompu ils créent peut-être l'une des formes de l'art moderne (le *land-art*). À ces touristes, nous ajoutons des étudiants et des malheureux qui y trouvent un refuge. Certes, l'être-ensemble constitue une forme culturelle, mais ce n'est pas ainsi que l'entendent les organisateurs de ces lieux.

Le nombre des expositions (leur succès) ne fera pas davantage illusion. Des familles, des couples acceptent de stationner pendant des heures pour admirer quelques chefs-d'œuvre. Quel meilleur signe de ralliement à la culture ? Mais que verront-ils au milieu de la cohue ? Lorsqu'il leur sera possible de contempler les mêmes ou d'autres chefs-d'œuvre en dehors d'une exposition, ils ne daigneront pas s'y rendre. Ainsi, quand Amsterdam mit sur pied une exposition Rembrandt, des Français de toutes régions s'y rendirent. En revanche, si l'on en croit Philippe Meyer, les tableaux de ce maître rassemblés en permanence à l'aile Richelieu sombrent dans un quasi-oubli.

Ces quelques observations ne mettent pas en cause toute forme de politique culturelle. Elles nous incitent à être moins optimistes et nous laissent entendre que nous nous y prenons mal en dirigeant outrageusement nos projecteurs sur quelques phénomènes spectaculaires, en mesurant les progrès de la culture au nombre de ceux qui, prétend-on, y accèdent, en travaillant dans l'urgence, la précipitation, en bourrant les programmes, en cedant à cet acharnement que nous avons mis à exploiter la terre, en multipliant les festivals – et non point en nous montrant plus modestes, en pactisant avec les lenteurs de la durée sociale et la diversité des trajets individuels, en faisant sa part au silence, à la solitude, au retrait. Exploiter les ressources infinies de l'humanité, sur un mode quantitatif et qualitatif, traquer les zones d'ombre, les jachères, évaluer chaque année le rendement, l'obtenir et le comparer au rendement espéré, monter des observatoires culturels pour surplomber l'ensemble du paysage culturel et expédier un commando là où l'on soupçonne quelque mollesse (voire quelque trahison) de la part des ingénieurs-animateurs et quelque indifférence de la part de la population, est-ce que cela ne nous rappelle pas notre effort gigantesque pour coloniser les océans, les continents, pour construire des ponts, des autoroutes, pour augmenter le rendement du maïs, des poulets, pour pousser doucement à la retraite les derniers paysans par un mouvement dont la nécessité leur échappe ?

Cet activisme, que je semble soupçonner, peut s'entendre comme une forme d'effervescence. Toutes ces initiatives, parfois venues d'en haut, parfois provoquées par les individus eux-mêmes, manifestent de l'invention, le goût de vivre et surtout de vivre ensemble, de ne pas laisser le temps filer bêtement. Les pouvoirs, et c'est heureux, émettent des projets, des structures et les hommes qui se sentent concernés en font l'usage qui leur convient et qui n'était pas celui qui avait été prévu. Ce qui nous paraît admirable, c'est qu'à travers ce rassemblement d'associations, de passions, une culture se dessine à grands traits, contrastés mais assez unis entre eux, pour composer un visage reconnaissable et singulier.

À nous, dans cette culture aphone à force de hurler et qui mêle les langues, les styles, de nous absenter, de savoir à quel moment nous replier pour éviter d'être écrasé, de continuer à ouvrir les yeux quand la houle nous submerge et nous enroule, de savoir tour à tour rêver à la flamme d'une chandelle et avancer au milieu des brasiers d'une mégalopole en feu.

En présence d'une telle avalanche culturelle, certains d'entre nous entendent s'ouvrir à tous les événements du mois, au risque de s'épuiser et de perdre leur fraîcheur. D'autres, par souci de sécurité intellectuelle, se tiennent à l'abri de la foule de livres, de représentations théâtrales, de films. À la fin de l'année, ils tiennent le compte de toutes les productions culturelles médiocres auxquelles ils ont échappé. Ils sont dans la situation d'un homme qui s'enfuit sous terre pour se garer des projectiles qui tombent à droite, à gauche, attendant qu'un feu aussi nourri diminue d'intensité, mais qui, en conséquence, est devenu aveugle au monde. Ils ne sont pas sans savoir que leur ont échappé quelques révélations, quelques chefs-d'œuvre, mais ils entendent se soustraire à l'engorgement, à la nausée, ou encore ils déplacent leur ferveur sur d'autres territoires de la culture qu'ils croient encore préservés : une balade en montagne, un repas qu'ils auront cuisiné avec goût. Il n'empêche que cette dissidence que j'ai remarquée chez des hommes de qualité m'inquiète. Pour ma part, je n'ai jamais agi de cette sorte. Seulement il était rare que j'achète aussitôt un livre vanté de toutes parts ou que je me précipite à l'inauguration d'une exposition. J'attendais que le livre soit presque oublié, qu'il me faille chercher la salle où on projetait encore le film. J'étais enfin seul avec l'ouvrage, avec le film, nullement troublé par la cohue et les bavardages des admirateurs. De plus, ces productions, comme un vin de qualité, s'étaient bonifiées avec le temps ; ce qui ne méritait pas d'être goûté s'était déposé. Il me fut parfois difficile de retrouver un film retiré de l'affiche. Deux, trois ans plus tard, il était à nouveau projeté et j'étais récompensé de ma longue patience.

En conséquence, je penche pour une culture douce, facultative, silencieuse, qui n'exclut pas, loin de là, le droit à la culture. Au terme de cette revendication qui a un sens particulier dans certains milieux, les individus auront le droit de ne pas lire, de ne pas aller au spectacle, sans être pour autant considérés comme des barbares ou des misérables, comme des êtres qui se sont exclus d'eux-mêmes de leur temps, de leur société. Ils n'auront pas mauvaise conscience, ils n'auront pas le sentiment d'avoir raté leur vie s'ils se sont tenus à l'écart de ces créations qui, seules, justifieraient une destinée. Celle-ci, ils l'auront accomplie à juste titre dans des actions ordinaires et qui, semble-t-il, ne portent pas à conséquence. À mon avis, il existe un fâcheux entraînement d'une culture surexposée à un refus de la culture, tout comme la surinformation suscite la désinformation, ou la menace de disparition d'une culture provoque le « tout culture ». Parce que certains enfants ne portent pas un grand intérêt à la lecture, on aimerait qu'existent des bébés lecteurs. Parce que la rue n'est plus égayée par les métiers et les badauds de jadis, on engagera des animateurs pour les réanimer, créateurs de ces rencontres drôles, de ces incidents surprenants qui rythmaient spontanément le spectacle de nos artères.

On a redouté que les enfants dédaignent le football et l'on a multiplié (ce qui est en soi une bonne chose) les stades là où s'étendaient des terrains vagues. Les enfants, ceux qui se refusaient à être embrigadés dans une organisation, n'ont plus eu la possibilité de taper dans un ballon, comme des fous, sur le mode du hourra football.

Dans les milieux favorisés, le mercredi est devenu la journée la moins disponible, les activités de loisir intelligent s'étant multipliées à l'extrême. Et si l'enfant avait envie de paresser, de rêver, de marcher solitaire ou avec quelques copains, s'il désirait apprendre la vie en vagabondant, en observant, en s'inventant des histoires, en musardant autour d'un bol de chocolat ou derrière une vitre embuée, ou en galopant à travers les immeubles, parfois à ses risques et périls ? Si un seul enfant persiste ainsi à emprunter ce que fut le chemin des écoliers et des grands rêveurs, il y a lieu de parier que les zélateurs du « tout culture » n'exécuteront jamais tout à fait leur projet.

Je voudrais être tout à fait clair. Je ne mets pas en cause la ferveur de tous ceux qui se livrent à l'aventure culturelle : montant une pièce, perpétuant une chorale, initiant les enfants au langage ou à la peinture, entamant leur modeste budget pour assister à un gala de danse. L'institution dont j'ai parfois été le bénéficiaire (au centre régional des lettres du Languedoc-Roussillon) permet à ces initiatives d'exister et de prendre forme.

Je ne crains pas que ce feu sacré se propage. Je redoute les effets pervers du « tout culture ». Il suffirait que la culture devienne une obligation et non point un droit, qu'elle prétende se substituer à des pans entiers de la vie ordinaire déclarée banale et insignifiante –

ou qu'elle veuille nous les restituer sur un autre mode plus noble et plus intelligent.

Une telle crainte se justifie-t-elle ? J'ai cru remarquer certains signes inquiétants d'un impérialisme culturel, à tel point que la discrimination culturelle s'ajouterait à d'autres formes de discrimination. Un certain usage de la culture peut constituer, pour des êtres faibles, une échappatoire, un moyen de retarder le moment où, confronté à nous-même avec nos propres lumières, à nos risques et périls, nous aurons à nous rapprocher de ce que nous croyons être notre vérité. À condition de ne pas mettre à sac notre planète dans le désir louable d'en exhiber et d'en exhumer toutes les richesses.

POUR UN URBANISME RETARDATAIRE

Ce terme de « retardataire », dont nous usons moins aujourd'hui, possédait une nuance péjorative. Le retardataire ne l'était pas par accident. Il était dans sa nature de n'être point exact à ses rendez-vous à l'école, pour un pique-nique, à l'église et, du coup, il fallait l'attendre. Il mettait à mal l'ordre collectif. On le réprimandait sans méchanceté. Je me demande s'il n'agissait pas avec malice. Ainsi, à l'occasion de la rentrée scolaire, il était arrivé après les autres et il ne se déferait jamais de ce premier contretemps.

Prôner un urbanisme du retardement, quelle chimère puisque, précisément, ce dernier consiste à lever les obstacles qui entravent les flux des travailleurs ou des marchandises ! Dès son origine, il manifeste la volonté de prendre en main des villes encore livrées à elles-mêmes ou à des conceptions archaïques, désordonnées, relevant de la tradition ou du sacré. Un tel volontarisme, peut-être légitime, devait se traduire par une relance ininterrompue des processus urbains. Ne rien faire ou laisser faire aurait été considéré comme contraire à sa vocation et aurait relevé de la négligence. Un urbaniste, s'il n'agit pas sans cesse et sans trêve, apparaît inutile.

Il y a donc quelque provocation dans cette expression. A-t-elle même un sens ? Toutes les mesures de retardement que nous pourrons proposer sembleront dérisoires. Ce ne sont pas les hommes, ce sont les lieux mêmes qui, en vertu de leur génie, se montrent capables de capter notre être, de le rendre captif, de lui laisser entendre que là, en ce point, réside le bonheur et qu'il serait déraisonnable de nous en éloigner au plus vite. Une connivence d'ordre poétique et non un jeu de contre-déterminations, de boyaux d'étranglement, de gendarmes couchés, de signes dissuasifs. J'admets cette observation. Mon projet serait donc plus modeste. Je n'ai pas la prétention d'enfermer les passants dans des rets dont ils sortiraient difficilement, mais de mettre fin, de-ci, de-là, aux accélérations auxquelles ils ont de la peine à résister. Je désirerais que l'on conserve ou que l'on restaure des espaces d'indétermination où les individus auraient la liberté de demeurer dans un état de vacance ou de poursuivre leur marche.

Si j'évoque d'abord un passé plus ou moins récent et pour une bonne part utopique, c'est pour exhorter les hommes et les rues à y mettre du leur. Autrefois, dans la rue, une femme tirait un coup de revolver sur son amant qu'elle poursuivait de son ressentiment et la foule tout entière s'en trouvait électrisée. Du quatrième étage d'un immeuble, un homme menaçait de se lancer dans le vide tandis que des maçons italiens sur un échafaudage chantaient une rengaine de leur pays. Des enfants avaient chipé des pommes sur un étal. Le commerçant les poursuivait et les gamins, dans leur course, renversaient des marchandises. À une époque encore antérieure, les marchands proclamaient leurs offres : des sardines, des lacets, des cerises, de l'eau-de-vie, des peaux de lapin, du gibier. Sur des charrettes, les fruits des quatre saisons étaient exposés. Ce n'est pas là vaine nostalgie mais désir de montrer qu'autre chose a existé et que, sans doute, autre chose est possible.

Aujourd'hui encore, certaines rues marchandes, par leur encombrement, imposent au passant de se faufiler, d'éviter un cageot, de zigzaguer au milieu des étals. Celui-ci ne se plaint pas car une récrimination demeurerait sans effet ou, plutôt, parce qu'un tel affairement lui apparaît comme une manifestation de la vie et que ce milieu complexe, ouvert, imprévisible, lui semble le plus riche et, au fond, le plus naturel.

Des femmes par leur extravagance, des jeunes gens par leur beauté, des poètes par leur mélancolie, des anarchistes par leur insolence, des officiers par leur morgue retenaient le regard et tempéraient les emportements de la foule. En période révolutionnaire, ou simplement prérévolutionnaire, les femmes apparaissaient plus extravagantes, les jeunes gens plus beaux, les poètes plus rêveurs, les anarchistes plus insolents, les officiers quand ils se hasardaient dans la rue plus raides. Les premiers coups de feu s'entendaient comme de joyeux pétards. Des drapeaux de toutes couleurs : tricolores, rouges, noirs, ornaient les balcons et la foule à son tour, par un rare bonheur, prenait des couleurs. Il y avait du noir dans les yeux des hommes en colère et du rouge sur leurs calots, leurs écharpes ; les femmes avançaient outrageusement fardées. Les petits enfants arboraient des lèvres vermillon comme s'ils venaient de la campagne. Le feu couvait, circulait, embrasait les rues. Des mots oubliés refaisaient surface et produisaient des étincelles. Des chants héroïques ou gaillards enflaient les poitrines.

J'évoque une époque disparue, quelques temps forts de l'histoire. J'en appelle aussi à une ville soulevée par l'espérance et dont il me paraît illégitime de désespérer.

La gare a autrefois attiré à elle les hommes en quête de pas perdus, de gestes inachevés, de regards inaccomplis. Des voyageurs ou des habitants d'une ville se rendaient dans les brasseries avoisinantes comme s'il s'y passait quelque chose de plus et comme si la multitude y était plus goûteuse qu'ailleurs, comme si la monumentalité des bâtiments donnait un peu de grandeur aux gestes les plus humbles. Aujourd'hui, la gare ne constitue plus le temple du départ. Elle ne fait pas entendre par ses stridences les chants de l'ailleurs, pas plus que les sirènes ne mugissent dans nos ports. On a fait en sorte que les hommes ne s'y réfugient plus, en vidant le hall de ses sièges, en camouflant les salles d'attente.

Et pourtant, la plupart d'entre elles ont gardé leur force d'attirance. Même lorsque nous ne nous y attardons pas, une image aussi riche, aussi émouvante infléchit le cours de nos pensées et de nos pas en dehors de nos mécanismes habituels et de ces associations aveugles qui transitent à la va-vite dans une conscience. À Paris, chacune des gares majeures nous atteint de ses charmes à nul autre pareils et que Jacques Réda a su si bien restituer.

Ainsi, la gare Saint-Lazare que bordent la rue du Rocher, la rue d'Amsterdam, la rue de Rome. À certaines heures, « c'est la ruée conjuguant la férocité de l'émeute et la démence de la panique, d'autant plus qu'aux deux moments critiques de la journée, ce sont deux flots en sens inverse qui s'affrontent et tendent à se refouler ». Mais il faut aussi l'appréhender en dehors des grandes crises d'apoplexie : « Dans des instants proches de l'hébétude, découvrir une raideur officielle républicaine, bourgeoise, très 1886, s'étonner de ce bâtiment à l'allure d'une très grosse mairie. »

Mes préférences, parce que je suis un Méridional, vont à la gare de Lyon, « avec son beffroi dressé comme une vigie sur la piste du vieux P.L.M. et qui paraît faire un signe aux basiliques de Fourvière et de Notre-Dame de Fourvière ». On l'adore ainsi un peu extravagante, en haut de son imposant parvis, « désormais tout à fait anachronique entre les cubes en pur caramel qui la flanquent comme une vedette vieillissante mais toujours sans rivale enfouie sous les envois de son confiseur ».

La nouvelle gare Montparnasse ne relève pas de la même génération. On dirait que les urbanistes ont eu honte d'elle et qu'ils ont cherché à la camoufler. Dans un ensemble colossal, elle figure comme en annexe, elle connaît le sort de ces stations de métro qui s'ouvrent furtivement comme sous un porche d'immeubles. Et pourtant, malgré ce faux-semblant et alors qu'elle a été exilée au fin fond d'un immense parvis, elle taraude le piéton qui, malgré tout, la perçoit comme une gare, une gare à qui la destinée aurait refusé le droit de faire valoir ses titres de noblesse.

La gare d'Austerlitz n'est pas très lisible. On déchiffre mal ses entrées, ses sorties. Le Jardin des Plantes, son voisin bien plus visible et plus auguste et plus titré scientifiquement, lui porte ombrage. Le promeneur le plus insensible n'en revient pas qu'elle existe encore et qu'elle projette ses voyageurs dans le centre de la France et dans tout le Sud-Ouest. Pour se remettre de sa commotion, il lui faut commander un formidable dans une brasserie puis, requinqué, il accomplit tant bien que mal le reste de son trajet.

Nous proposons seulement que l'on conserve ou que l'on restaure des espaces d'indétermination dans lesquels l'homme a la possibilité de demeurer disponible ou de poursuivre à vive allure sa marche dans le tracas et les fracas. Un tel programme bien modeste modifierait singulièrement la physionomie de nos villes et nous engagerait dans une politique tout à fait nouvelle. Ainsi, dans nos jardins publics, il devient de plus en plus malaisé d'échapper à un divertissement programmé. Le quadrillage fonctionne efficacement. Certes, jouer aux boules, au ping-pong, grimper à une corde à nœuds, glisser le long d'un toboggan, engager une partie de tennis ou un 100 mètres haies, voilà qui me paraît légitime ; mais ne restreignons pas davantage les espaces libres de toute fonction : allées, contre-allées où l'on ne peut que rêver, marcher lentement étant donné l'étroitesse du chemin, lire un journal sans conviction, demeurer face à face avec des buissons trop proches pour être pénétrés.

Redevenir l'orphelin, le veuf ou la veuve de

ce monde, non point nécessairement à la suite d'un deuil mais pour entreprendre une cure de solitude, de chagrin, de désolation, est tout aussi profitable à l'âme qu'une cure de sommeil ou une cure thermale pour le corps.

Je désirerais restituer à l'Église des tâches dont elle s'acquittait autrefois convenablement : le silence du tabernacle et du Dieu absent, les ténèbres du confessionnal, la demi-clarté des chapelles latérales, avec des périodes de jeûne et d'abstinence.

Les cérémonies y seront célébrées dans la dignité. À l'occasion d'un enterrement, nous n'entendrons pas des chansonnettes d'un rythme forcené sous le prétexte qu'il convient de manifester de la joie. Un tel événement induira dans nos âmes la gravité, la pensée de la mort et réduira l'ordinaire de nos affaires courantes à peu de chose. On n'y usera de la langue française que dans quelques circonstances graves et en la mâtinant d'un accent du Rouergue. Le latin me paraît préférable, d'autant plus que le latin d'église se comprend sans difficulté. Nous ne verrons plus de prêtres endosser des uniformes presque civils : de passe-murailles et non de passe-cieux, de passe-Dieu. Parmi cux, beaucoup de jeunes séminaristes, de haute taille pour donner plus d'élégance aux longues enjambées de leurs soutanes, le cheveu ras, le regard effronté, et qui, le dimanche, au stade Charléty, courront, un ballon ovale sous le bras. Pour les aider, de vieux prêtres à la parole rauque, à la soutane usée, aux mains grossières, proches de la peine et de la misère des hommes, à l'évidence venus d'un monde où les honneurs, les voluptés, bref tout ce qui n'est pas éternel, ne comptent pas.

Au sortir de pareilles églises, le passant aura rajeuni de quelques siècles et, impassible, il sera en mesure d'essuyer les coups de feu de la circulation, les immeubles rénovés, le jacassement des magasins de mode.

Cette politique de retardement que je prône, que je présente comme un parti pris original, une manière d'utopie, ne se pratique-t-elle pas déjà ? Dans nos rues piétonnes de plus en plus nombreuses, nous ne sommes plus bousculés par les automobiles. Peu de travailleurs les empruntent et nous n'avons pas la tentation de marcher à leur cadence. Des vitrines attrayantes sollicitent le regard et les enfants délivrés de la surveillance de leur mère peuvent y gambader à leur aise. En fait, piétiner, faire du surplace, ce n'est pas progresser au rythme proposé par les lieux, d'un pas parfois rapide, parfois plus dolent mais toujours en accord avec les modulations du territoire que l'on traverse. Autant comparer une eau vive, que nul obstacle ne contraint et qui prend parfois son temps pour serpenter, et une eau stagnante !

Il manque à ces rues-là le vent du large et une atmosphère qui leur serait propre. Elles nous transportent dans des galeries marchandes, dans les promenoirs de la consommation :

hors sol, hors lieu, hors ville. En présence d'un quartier authentique, nous usons des privilèges de la ville, nous en sommes les officiants bienheureux. Ainsi, dans un quartier commerçant, le calme serait incongru. Dans un quartier voué aux livres et à l'art, le silence naît non point de bornes magnétiques mais des bonnes grâces de la beauté. Les signes qu'il nous adresse témoignent d'une âme bien née. Les librairies n'y cèdent pas à l'arrogance. Même les livres les plus récents présentent quelque chose de fané. Ils côtoient des ouvrages d'art qui les feraient taire s'ils prenaient la parole trop vivement. Le livre y redevient un objet à toucher, à respirer et non point seulement un message à entendre. Les graphistes, les graveurs, les brocheurs, les relieuses exposent leur belle et lente fragile destinée. Les maisons d'édition, d'où sort parfois un auteur reconnu, imposent par leur secret, et qui oserait s'y aventurer s'il ne possède pas une lettre de recommandation ! Ici, le monde, nous en avons conscience, n'a été créé que pour produire des objets éminents. Le promeneur sensible éprouve quelque mélancolie car il sait que l'autre monde barbare, impitoyable, bêtement soumis aux déterminations économiques, existe lui aussi. Alors pourquoi tant de finesse, de subtilité, de matériaux précieux, de pensées exquises si, au détour de quelques rues, il retrouve l'ordinaire de la circulation ? Que cette mélancolie épouse des arabesques languissantes !

Nos bonheurs naîtront des vertus et des variations du paysage urbain et ne se laisseront pas enfermer dans un enclos, fût-il piéton.

Il ne suffit pas de vanter les mérites de l'eau (des fleuves, des étangs) qui apaiserait et inviterait à la contemplation. Encore faut-il qu'elle ne demeure pas frigide, distante, intouchable. Car, alors, elle se présente comme un décor (agréable) au milieu des immeubles, des parkings, des commerces. Une eau, pour être bienfaisante, se doit d'être vivante, douce au regard, à la main, qu'on entende sa verdeur ou ses remous intérieurs. Ne perd-elle pas ses vertus quand on bétonne une berge encore plus dure et inhospitalière que le macadam. C'est ainsi que les riverains du Lez pleurent leur fleuve apprivoisé, canalisé, réduit au silence. À l'entrée du Polygone (encore à Montpellier), les jets d'eau n'incitent pas au dialogue et je n'ai pas observé de passants s'arrêtant à côté d'eux. Dans nombre de villes nouvelles de la région parisienne, un immense plan d'eau occupe le milieu de la cité. À certaines heures, il réfléchit merveilleusement les nuages. En d'autres circonstances, il n'est qu'une barre liquide. La rectitude de sa surface souligne dans une cruelle géométrie celle des tours.

Il en est de même des fontaines. Telle ou telle municipalité nous promet cinquante, cent fontaines. J'aurai le sentiment qu'elles jouent leur rôle lorsque des habitants ou des passants se mêleront à leurs eaux cascadantes, auront bonheur à faire cercle autour d'elles, se laisseront ensorceler par elles et y formuleront des vœux.

Depuis quelques années, les aménageurs ont voulu attendrir des ensembles trop rigides en provoquant des coulées vertes dont la réussite n'est pas toujours conforme à leurs vœux. Dans un premier mouvement, cette avalanche de verdure, de couleurs surprend et paraît le comble de l'artifice, comme chaque fois où l'homme, par un surcroît d'habileté, cherche à imiter la nature. Pourquoi s'arrête-t-elle là et non point un peu plus loin ? D'où a-t-elle dégringolé ? Elle ne procède pas de la nécessité comme les autres avalanches (la neige, la caillasse) de la montagne. À la suite d'une cohabitation prolongée, elle se mêle au paysage, elle constitue un contrepoint heureux. Nous traversons l'avalanche, nous la remontons, nous y dévalons. Bref, nous nous y attardons et y trouvons un repos pour notre âme.

Il conviendrait de multiplier – initiative modeste s'il en est – les bancs publics au lieu de les faire disparaître. Ce serait là le début d'une reconquête de l'espace public. Mais ont-ils encore quelque pouvoir le long d'un boulevard bruyant ? Il serait déjà bénéfique de les installer en plus grand nombre là où la circulation automobile ne suffoque pas les piétons, sachant que par ailleurs les hommes sont capables, une fois installés sur un banc, de tenir tête au vacarme. On dirait qu'ils ont pris appui sur un promontoire, que de sa hauteur ils inspectent un spectacle qui ne saurait les incommoder. Sur quelques grands boulevards parisiens, de petits-bourgeois y lisent leur quotidien tandis que des SDF encore plus endurants déballent leurs provisions. Sur ces mêmes boulevards, d'autres formes de retardement viennent au secours du passant. Celui-ci aperçoit dans les brasseries des gens en train de se restaurer. La chaleur des établissements, la voracité de quelques gourmands, les allées et venues des garçons en tablier vert, les plateaux d'huîtres accompagnent notre promeneur et le distraient assez pour ralentir sa marche. Avec beaucoup de chance, il aperçoit un boulevardier, une espèce devenue rare d'hommes seulement occupés (des rentiers ?) à arpenter les boulevards, à en restituer l'esprit, le parisianisme.

Sans doute faut-il également désigner de nouveaux lieux de flânerie : non point les gares, non plus certains boulevards mais, par exemple, les supermarchés. Les familles s'y rendent – disent-elles – par souci d'économie. Surtout, elles y trouvent leur compte, elles s'y divertissent et l'expédition qui se voulait rapide s'allonge. À l'automne, un couple y pénètre à mi-jour et en sort à la nuit tombée et, parfois, dans le désir de perpétuer le voyage, dîne à la cafétéria. Le face-à-face des consommateurs et des marchandises comporte une dimension affective. Les falaises des poires au sirop ou des paquets de café ont remplacé les nobles façades de nos immeubles. D'un stade à un autre, de l'alimentation à la boucherie-charcuterie, de la poissonnerie à l'électroménager, l'ambiance se modifie. Dans chacun de ces rayons règne une atmosphère à laquelle le public se montre sensible : par le dégradé des couleurs, des sons, du climat et par l'habillement du personnel.

Les enfants ont assez de pouvoir pour entraver la marche trop rapide de leurs parents. Tous se conduisent comme les badauds du temps jadis. C'est là un lieu public par excellence puisqu'il brasse les générations, les strates sociales, les ethnies de toute sorte – un lieu où tout individu est admis s'il se comporte convenablement. Les gens n'y sont pas indifférents les uns aux autres. Ils s'observent, ils s'évaluent, ils se draguent ou se contestent du regard. On se frôle, ce qui est encore la meilleure façon de se rencontrer marginalement, délicatement. On revient sur ses pas parce qu'on a oublié un achat sur la liste, parce qu'on est encore indécis, mais aussi parce qu'on n'a pas fait le plein de sensations. Ce sont des jeux de rôles imperceptibles et aussi des plébiscites autour d'un produit, autour d'un être admirablement carrossé.

S'il suffisait d'acheter, le séjour y serait de courte durée, mais il s'agit aussi de s'initier à la modernité, de comparer des techniques, de devenir les contemporains de tous ces objets nouveau-nés et dont l'ignorance manifesterait notre inculture. La culture nécessite du temps et nos familles (surtout les adolescents) ne sauraient abréger les délais indispensables pour la mettre au goût du jour. Quelle meilleure école que celle qui en matière d'instruction propose un parcours libre, plein de couleurs, comme le sont les grandes surfaces. Les moniteurs y ont la sagesse des bons pédagogues. Ils se font oublier et ils laissent leurs clients (leurs élèves) apprendre par eux-mêmes, ne se manifestant qu'en cas de difficultés et si on fait appel à eux.

Les gares furent les temples du départ. Nos grandes surfaces sont les maisons de notre culture la plus moderne. Elles relèvent de ces quelques lieux où l'on peut montrer tant de choses nouvelles et apprendre tant de savoir-faire ensemble. Demain, dans quinze jours, d'autres objets, du moins dans l'audiovisuel, seront exposés, proposés. Savoir proposer l'éphémère est devenu l'une des vertus majeures de notre temps.

Comme dans un temple, comme dans une ville, comme dans une culture, il se produit des moments forts et des laps de temps flottants. Pour leur anniversaire, elles penseront à nous. Un quartier, une ville ont été inondés de placards publicitaires. Magnétoscopes, confits de canard, chaises longues, rumsteaks (par caisses de cinq kilos), tables de ping-pong, gâteaux de Savoie, demi-moutons seront bradés.

Évidemment, faute de place et d'argent,

nous n'achèterons pas tout ce qui est annoncé sur le dépliant. Mais, en cochant les articles, nous rêverons à un achat qui emplirait une camionnette des merveilles convoitées. La mélancolie qui accompagne la fermeture des grandes surfaces ne manque pas de grandeur. L'entrepôt se vide peu à peu de ses derniers clients. Les marchandises innombrables sont restituées à leur solitude : nul ne les réanimera de la flamme de son désir. Le bruit des caddies entrechoqués se fait rare. Quelques véhicules demeurent sans raison sur un parking presque désert tandis que les images multicolores clignotent encore. Un immense bûcher s'allume, mais pourquoi faut-il qu'il flamboie si loin de la ville ?

Une telle politique du retardement va, semble-t-il, à l'encontre de la notion de l'accessibilité qui a la faveur des urbanistes et des hommes politiques. Celle-ci aurait pour elle d'augmenter les échanges et les performances. Elle posséderait une valeur démocratique donnant à chacun la possibilité d'aller où il le désire, réduisant ainsi les isolats, les ghettos. Nous ne partageons pas cet optimisme. Une telle égalité de tous devant l'espace demeure formelle. Les hommes qui stagnent dans un quartier stigmatisé ne le font pas parce qu'il leur est interdit de s'absenter, mais pour d'autres raisons, économiques ou idéologiques. Dans un tel espace soumis à une circulation accélérée, les plus forts ont encore plus d'opportunités de s'affirmer. C'est ainsi que les petites villes deviennent les dortoirs de la capitale et que la province s'efface devant les mégalopoles.

Devenus plus accessibles, tout à fait pénétrables et offerts, une ville ou un pays ne perdent-ils pas de leur mystère, de leur opacité et donc de leur être propre ?

Est-il assuré que circuler soit le contraire d'habiter, que le premier incite à la célérité et le second à la sédentarité ? Il nous paraît possible de dépasser dès maintenant cette opposition – du moins dans certaines circonstances. Habiter c'est d'abord avoir des habitudes à tel point que le dehors devient une enveloppe de mon être et du dedans que je suis. C'est pourquoi on peut affirmer que, d'une certaine manière, j'habite une ligne de bus, dès lors que je l'emprunte chaque jour. Le chauffeur m'est connu, mon trajet est ponctué par un certain nombre de stations. À une heure déterminée, les autres voyageurs me sont devenus familiers ; c'est ainsi que l'absence répétée de l'un d'entre eux m'étonne, voire m'inquiète. Dans ces conditions, le trajet n'est pas exactement un fragment soustrait à la durée, un blanc insignifiant. Il constitue une pause à l'intérieur de mes tâches. Cette remarque prend davantage de sens quand il s'agit des non-actifs : des retraités, des adolescents, des collégiens. Nous ne les considérons pas comme une population tout à fait différente par ses pratiques. Nous préférons croire qu'ils utilisent à leur manière les transports publics. À Montpellier, certains retraités bénéficient de la gratuité et se rencontrent l'après-midi dans tel ou tel bus. La situation des adolescents apparaît plus complexe. Il arrive que les enfants de banlieue adoptent une conduite agressive et, en même temps, ils font l'éloge de ces véhicules, seul point de lumière tandis que la nuit tombe, lieu d'accueil dans un environnement triste. L'ambivalence de leur conduite nous montre que la valeur de ces objets collectifs dépasse l'utilitaire.

Des municipalités affrètent des bus gratuits pour mener des habitants à des fêtes nocturnes et les raccompagnent à leur domicile. Dans une société qui ne sera plus harcelée par le travail ou le manque de travail et où l'usage des véhicules individuels sera moins aisé, les bus ou les tramways permettront aux hommes de se promener dans leur cité (ce seront en quelque sorte des brasseries ambulantes) et ils s'en estimeront les copropriétaires, au même titre que d'autres objets qui leur appartiennent en propre.

EFFLEURER ET NON S'AFFAIRER

La lenteur ne constitue pas une valeur en soi. Elle devrait nous permettre de vivre honorablement en notre propre compagnie sans nous éparpiller en projets aussi inutiles que vains. Ce qui est en cause, ce n'est donc pas le temps nécessaire à l'accomplissement de nos tâches : peu importe que nous en atteignions plus ou moins vite le terme. À une vision en quelque sorte horizontale, substituons une approche verticale : en l'occurrence, le degré d'engagement dans ce qui se présente à nous. Faisons le serment d'effleurer et non point d'empoigner – et alors les êtres nous livreront ce qu'ils sont, ce qu'ils consentent à être, progressant vers nous à l'allure qui est la leur, parfois sur un mode vivace, parfois sur un mode lent.

J'étais un enfant de la guerre. J'avais connu ce que l'on appelait « les privations » : non point privé de dessert pour une espièglerie mais privé de pain, de lait, de viande, d'électricité, de liberté. Une fois l'Allemand contraint de retourner en Germanie, je me jetai sur toutes choses comme un mort de faim. La mode était aux ciné-clubs et nous nous gavions de films, d'analyses critiques, parfois militantes, sur les films. Nous avalions une baguette entière de pain. Provincial, j'avais poursuivi mes études dans la capitale. Je sillonnais des heures durant le Paris des métros, d'une ligne à une autre, égrenant avec joie les stations qui condescendaient à former des chapelets de noms illustres. Il suffisait qu'ils se situent le long d'une ligne pour bénéficier d'une exceptionnelle dignité.

Ne soyons pas injuste : je ne quadrillais pas la ville à l'aide d'un plan. Je n'étais pas odieux à ce point. Mais enfin je me conduisais comme un occupant, j'avais en main, en mémoire, les vingt arrondissements de la capitale.

J'ai appris la discrétion. J'ai reconnu la limite de mon ignorance qu'un prétendu savoir avait promis de réduire. Des zones d'ombre sont apparues. Paris s'est enténébré.

J'ai eu la délicatesse de connaître une ville, un quartier, par le timbre qui lui était propre, un être par l'inflexion de sa voix, un arbre par son ombre. J'ai su que l'autre versant des choses m'échapperait toujours, quoi que j'entreprenne. Mais alors comment s'y prendre et quels modèles corporels, quelles astuces culturelles adopter ?

Marcher sur la pointe des pieds pour ne pas interrompre une conversation, pour ne pas déranger le sommeil d'un enfant. Les humbles quittent un jardin public, leur existence, sur la pointe des pieds. Les yeux baissés, non par prudence, par peur, mais parce que l'on ne dévisage pas sans façon une autre personne. Il y a toujours quelque effronterie à regarder de front.

Les yeux mi-clos après bombance, en signe de satisfaction, pour ne pas troubler le bonheur de la digestion, pour feindre la plénitude et parce que nous sommes, tout entiers, à ras bord des victuailles offertes puis ingérées.

Somnoler, ne plus prêter attention à un monde qui n'en vaut pas la peine, mais ne pas plonger pour autant dans les ténèbres de l'inconscience. Se permettre de cheminer entre veille et sommeil. La tête ballante, les mains sur le ventre, la bouche entrouverte, chacun des membres de notre corps rendu à la liberté dans une posture qu'un regard malveillant qualifierait de ridicule.

L'homme et son ombre, quoi de plus banal et de plus réductible à l'aide du savoir des sciences humaines ! J'aurais préféré être le premier membre de notre espèce à être « un homme et sa pénombre ».

Je frôle et l'autre n'a même pas le sentiment d'avoir été touché imperceptiblement. Il faut cependant que j'établisse un contact, même furtif, sans lequel je n'éprouverais pas la plus délicieuse des sensations.

J'esquive, je m'esquive. Je ne crois pas cependant faire preuve de lâcheté. Mes virevoltes, mes feintes, exigent un art consommé. Mon partenaire, s'il a quelque intelligence, se prête au jeu, anticipe ou croit anticiper mes dérobades. Et c'est ainsi que, par la grâce de cette distance maintenue, nous conjoignons nos existences.

J'ai parcouru tout un été le Sud-Ouest. Je ne cherchais pas les retables, les fermes restaurées, les châteaux. J'écoutais le frôlement des balles de tennis du club de chaque petite ville. On jouait en ce temps-là sur la terre battue. Je me gardais de pénétrer dans l'enceinte du club. À l'oreille, je devinais un service slicé, un revers coupé, un coup droit lifté, une amortie. Je devinais la blancheur des vêtements. Cette délicieuse et discrète musique entendue, je m'accordais le droit d'un repas fin ou copieux au bord d'un de mes fleuves.

Une bouderie qui n'aurait pas rapport à la mauvaise humeur mais signifierait une part d'indifférence. Les lèvres d'une boudeuse s'épanouissent, deviennent surface vermeille, charnue. Un visage, comme l'océan, est ainsi soumis à de constants caprices.

« Quand je le prends dans mes bras », la rengaine ne devrait pas avoir de suite. Ce geste de tendresse se suffit à lui-même et la voix d'Édith Piaf emplit le monde.

Du bout des lèvres, comme si les lèvres avaient un bout. Parler ainsi peut être une marque d'impolitesse, mais aussi bien le désir de ne pas s'emparer de l'attention de l'autre, laisser entendre que ce que l'on pourrait dire de plus n'a pas tant d'importance que cela.

« Ventre affamé n'a pas d'oreilles. » Telle n'est pas la condition de qui mange du bout des lèvres. C'est refuser de laper – et pourtant il est beau de manger un fruit à pleines dents et de se désaltérer par rasades d'un vin frais.

Parler à mi-mots. Les mots, dans leur intégralité (intégrité), sont trop gros, grossiers. Il faudrait les partager en quarts, en huitièmes de mot. Ils deviendraient ainsi de précieuses parcelles de sens.

« Il me dit des mots de tous les jours », sans craindre sottement, comme les faux doctes, les précieux, la banalité. Ces mots-là gagnent à avoir circulé à travers rues et maisonnées. Ainsi, devant un malheur, « mon Dieu », « mon Dieu », et il n'est pas nécessaire pour les prononcer d'avoir la foi. Ne pas chercher à démontrer l'erreur d'un ami mais lui avouer amicalement : « Tu te goures » ou à l'inverse : « T'as peut-être raison. » Et devant la colère injustifiée d'un être aimé : « Tu vas me faire de la peine. »

« Ils ont trop à faire pour rêver. » Tels des gamins dociles ou des fayots, ils n'osent pas s'escaper, prendre doucement la porte puis vagabonder.

L'eau stagnante a mauvaise réputation. Délétère, fétide, répugnante. Elle me paraît infiniment supérieure à cette eau infatigablement recyclée, fluorée, que nous n'aurions pas l'idée de toucher, de boire et qu'à la limite nous ne voyons pas.

Le charme du passé. Nous n'avons plus de prise sur lui et il ne met plus en état d'alerte notre corps puisqu'il ne présente plus de danger. Ainsi cette avant-guerre qui nous paraît si lointaine, à laquelle nous avons de la peine à croirc tant cllc nous paraît cxtravagante et aveugle. Mais nos contemporains réactivent le passé et ils l'insèrent de force dans le cycle de la vie tellement ils redoutent son absence.

Il ne faut pas écouter aux portes, non point par discrétion mais parce que nous prêtons un intérêt excessif à des propos qui ne nous sont pas destinés. Pour la même raison, nous ne devons pas faire la sourde oreille : nous nous soumettons activement au piège auquel nous entendions échapper. Feindre d'écouter et avoir la paix, celle des bienheureux.

Surprendre par bonheur des bribes de conversation, au hasard d'un jardin public, à travers l'écran de buissons qui nous sépare des bavards. Le gravier présente le même attrait. Grâce à lui nous pressentons l'approche d'un homme qui, sans le vouloir, soulève du bruit. Or nos édiles le remplacent par des allées goudronnées et nos pas sombrent dans l'inexistence.

J'aurais rêve d'être assez riche pour finir mes jours en Suisse. J'aurais, je l'espère, échappé à l'agonie. J'aurais été une lumière qui s'éteint. Une infirmière dévouée m'aurait chaque jour promené sur ma chaise roulante, et, un soir, j'aurais eu la certitude que j'apercevais pour la dernière fois le lac et les lueurs de l'autre côté de la rive.

Fredonnez. Laissez aux plus doués la chance de chanter à la Scala de Milan, sur la mer calmée. Les don Juan d'opéra sont si souvent des don Juan d'opérette. Fredonnez comme les apprentis pâtissiers, les midinettes, les permissionnaires.

Que votre sourire à peine surgi de votre visage s'estompe. D'autres riront à gorge déployée ou plutôt dépoitraillée. Ou alors, si le cœur vous en dit, riez aux éclats et fracassez les vitres, les masques des importants, les tourelles des puissants.

En ce jardin public, pour éloigner les importuns, emportez avec vous un bréviaire et feignez de le lire, mais qui saura aujourd'hui le distinguer du dernier Goncourt ou même d'un Folio !

Nous ne voulons plus nous évanouir, la mode est au contraire à l'épanouissement. Nos aînés, à la suite d'un malheur, d'une difficulté, s'évaporaient dans une inexistence temporaire et trouvaient la plupart du temps des bras pour les recueillir.

Quand nous cherchons à nous connaître, il

vient un moment où la vase remonte à la surface. Décrétez alors qu'il s'agit d'une vaine entreprise puisqu'il n'existe pas de sujet. Portez plutôt attention à toutes les marionnettes qui composent votre personnage. Amusez-vous à les manier avec plus de dextérité. Changez la position du chapeau de l'un. Ajustez le pourpoint de l'autre. Réjouissez-vous de disposer d'un théâtre aussi riche.

Toutes sortes de lieux m'ont permis d'apaiser mes sens et de ne pas jouir de la vie comme une brute. L'infirmerie quand j'étais interne, l'hôpital quand je fus adulte, les chapelles au creux de l'après-midi, les salles de cinéma au mois d'août, les grottes à condition qu'elles n'accueillent pas des archéologues ou des spéléologues, les forêts profondes comme des cathédrales.

J'avais établi pour m'éclairer un taux de non-fréquentation. Il m'évitait de fâcheuses rencontres et, en fait, toute rencontre m'apparaissait fâcheuse. Il s'éloigne de nous le temps où de vieilles bibliothèques de province, des départements déshérités, des musées nous permettaient de respirer à notre aise sans être importuné par l'haleine d'un autre visiteur.

En ce jardin public, conserver la possibilité de vivre notre veuvage. Nous sommes marié et nous ne désirons pas la mort de notre conjoint. Nous nous occupons de nos enfants, nous aidons le dernier dans ses exercices de mathématiques, nous organisons le voyage en

Angleterre de la cadette. Dans ces conditions il nous est difficile de mettre notre âme en berne, de porter le deuil des années abolies, de regarder le cortège des inconsolables. Ce jardin-là, en ses retranchements, nous le permet. Nous croisons d'autres êtres égarés, nous échangeons notre désolation.

N'ai-je pas rêvé l'improbable ? Comment aujourd'hui me faire espace ? Est-il encore possible à une princesse russe de mourir de langueur en Crimée ?

Quand il m'arrive de réfléchir, je ne joue pas au penseur. Je deviens pensif. Les concepts très vite se dispersent par l'effet de la métaphore et de mésalliances étranges. J'écarquille mon esprit face à une pléiade d'images. Je me sens proche du berger qui dans les alpages considère une nuit d'été. Je prends acte de l'immensité et de la dispersion de ce qui possède un sens et je renonce à une navigation incertaine, bien au-dessus de mes moyens.

LE REPOS DES SIMPLES

Dans ce texte, qui accorde une large part à la mémoire sans pour autant négliger notre présent et l'a-venir (utopie), j'évoquerai ici des pratiques déjà anciennes – une époque où les êtres et sans doute les conditions d'existence étaient plus simples – le repos n'était pas quantité négligeable, un temps morne destiné à récupérer de la fatigue du travail mais un moment à respirer, où se loger à son aise, une forme de bonheur tranquille, et cela d'autant plus que le travail n'était pas absolument séparé de ce que nous nommons aujourd'hui loisir. Cela dit, je m'attacherai aussi à décrire quelques actes simples qui, aujourd'hui encore, procurent à certains d'entre nous la même qualité de bonheur.

1935-1939, puis 1940-1945, puis 1945-1950 : une époque qui n'est pas tout à fait entrée dans la préhistoire de notre Occident ;

Villeneuve-sur-Lot, Sainte-Livrade, Tombebœuf, Monclar-d'Agenais, quelques villages ou villes du Lot-et-Garonne avec leurs foires qui mêlaient, en effet, le travail, les affaires et le plaisir, du temps gagné et du temps perdu, de l'argent gagné et de l'argent dépensé, sans qu'il y ait de contradiction entre des termes qui paraîtraient aujourd'hui relever de sphères bien différentes. Car le bonheur venait les assembler : joie de « toper » une bonne affaire, de vendre du bétail alors que la récolte de foin ne suffirait pas pour entretenir l'étable pendant l'hiver – et ivresse de rencontrer tant de visages, de vêtements endimanchés, d'aller à un café plus huppé qui avait d'ordinaire une clientèle bourgeoise comme le Tivoly à Villeneuve-sur-Lot.

Les jeunes gens dansaient ou allaient au cinéma, ils se permettaient une conduite plus libre et les jeunes filles arboraient une toilette un peu plus voyante. Surtout, au-delà des comportements et des plaisirs particuliers, il se produisait une surexcitation qui montait d'heure en heure et qui échauffait sensiblement l'atmosphère. Il avait fallu souvent mener les bêtes à pied et la fatigue de l'après-midi devenait vertige, elle déliait les langues, elle libérait les gestes. Sous les halles où l'on traitait les affaires et où ensuite l'on danserait jusqu'au soir, c'était un beau vacarme car les cris s'y répercutaient et le ton ne pouvait que monter. L'argent échangé en billets bien visibles et qui gonflaient les portefeuilles faisait pétiller les regards et donnait l'illusion d'un pays de cocagne en un temps où l'on comptait son argent sou après sou. On avait bu et mangé à midi auprès des rives du Lot, tartinant le pain avec de bons pâtés, découpant d'énormes saucissons et vidant bravement les bouteilles.

Dans ces conditions, il naissait des débuts de disputes, on commençait à échanger des coups ; les insultes tonitruantes (car il y avait un rituel et un art de la colère, de l'insulte, du juron et nos paysans apprenaient à longueur d'année à tonner contre leurs bêtes, leurs enfants, contre les gens de la ville et les caprices du temps) magnifiaient ce bruit, lui donnaient un sens ultime et, tard dans la nuit, à la sortie d'un car bondé et brinquebalant ou sur un chemin parcouru à pied, les querelleurs exultaient leurs dernières flopées d'insultes face aux étoiles. Seules la rosée du lendemain et la vie familière de la ferme les dégriseraient. On voit donc comment les dimensions du travail et du délassement s'épaulaient, s'entrelaçaient pour venir, avec les heures, tituber dans un vertige de vie.

Sur un mode encore plus quotidien, nous voudrions évoquer la visite rendue au coiffeur, qui a perdu maintenant toute solennité. C'était un petit événement ; il s'inscrivait dans un périple fait d'achats nécessaires et de temps plus abandonné (nous ne dirions pas de loisir). Être ainsi enveloppé dans une grande blouse blanche, demeurer passif sous les ciseaux et la tondeuse, quel repos et quel étonnement pour ceux qui ne cessaient de vaquer à leur labeur ! Il était de mise de parler aux autres clients qui attendaient : parler même sur le mode d'un langage retenu et prudent traduisait encore une modification de la part de ces êtres taciturnes. On posait quelques paquets (des emplettes), on venait les rechercher. C'est dire que le salon du coiffeur constituait une sorte d'escale le long d'un parcours plus ample et qui prenait fin avec le départ du car. Ces paquets encombrants, volumineux, au contenu si différent, les marquaient comme villageois ou campagnards par rapport aux gens de la ville et leur donnaient à eux-mêmes le sentiment d'être en goguette/courses dans la ville. Ils constituaient un souci, une constante préoccupation, un médium avec le milieu urbain. On les déposait chez une parente, chez un ancien voisin maintenant établi en ville comme Mme Arrazat, au café, à la gare d'autobus. Il fallait les rechercher en toute hâte. Bref, grâce à eux, ces gens n'étaient pas en ville des apatrides, des voyageurs sans bagages.

Une mémoire aussi vive constitue un fait positif dont il faut tenir compte. Nous avons parlé du *Bistrot*. On pensera aussi au *Bricolage*, à l'infinie patience du bricoleur, à sa capacité de mettre bout à bout des éléments disparates, de chercher des bouts de ficelle et des cartons, de garder l'œil fixe sur une pièce à laquelle il voudrait à toute force trouver un usage, à son désir irrépressible d'inventer des obstacles pour arriver à un résultat qu'un peu de rationalité obtiendrait au plus vite.

J'aimerais mettre en évidence des formes moins repérables ou auxquelles on ne donne pas au premier chef cette signification : la *grasse matinée,* comme si le dimanche devait contraster avec les vaches maigres de la semaine. Ce matin-là, l'homme s'éveille peu à peu à lui-même, il reconnaît son visage, celui de ses enfants et de sa femme. Il tâtonne comme pour explorer son corridor, sa main ne s'empare pas tout de suite des objets familiers ; elle se dirige vers eux. Il garde longtemps sa physionomie et son expression de la nuit et c'est pourquoi il ne se rase pas tout de suite ; c'est pourquoi il n'a pas honte du sommeil qui boursoufle ses paupières, de son haleine, de ce qu'il y a de flétri dans son corps et ses vêtements. Plus tard il ira reconnaître du même pas hésitant sa rue, ses magasins, il lui faudra du temps pour se dégourdir les jambes – lui qui d'habitude court pour attraper un bus ou un métro.

Ainsi *le manger, le boire,* qu'on ne réduira pas à l'expression de besoins élémentaires auxquels certains êtres s'abandonneraient parce qu'ils ne peuvent pas encore accéder à la conscience et à la satisfaction de besoins plus culturels. Nous y verrions plutôt chez certains hommes une façon de se laisser fasciner par la viande, par les sauces, par la positivité épaisse de tout ce qui nourrit et réconforte : être dans son assiette, ignorer le tumulte insensé de l'univers et les appels incessants qu'il lance vers nous, peser sur sa chaise, vivre dans la complémentarité du végétal, de l'animal, devenir un des éléments indéracinables de ce monde, *se préparer aux rythmes lents de la digestion*. La nourriture peut avoir pour fonction de réparer et d'entretenir notre force de travail, ou encore le repas peut être conçu comme une cérémonie, comme une forme d'échange social. Nous faisons allusion ici à un repas dans lequel l'assimilation devient la dimension essentielle, dans lequel, pendant un fragment de durée, on perd de vue la nécessité de parler, de regarder, de présenter une image de soi – pour « se caler » l'estomac, pour ressentir l'irrigation de ses veines et de ses vaisseaux, pour transformer de la chair en chair, pour laisser propager en soi des ondes de chaleur, pour *éprouver les délices de l'existence épaisse*.

Allons plus loin dans cet épaississement de notre durée et tentons de délivrer les significations d'une certaine *sieste*. Là encore, elle peut manifester la détresse de travailleurs soumis à un régime qui perturbe les horaires. Il faudra donc faire porter notre analyse sur une sieste que le dormeur a choisie. Il faut qu'elle résulte d'un choix de sa part et qu'elle apporte une sorte de bonheur qui, une fois de plus, ait rapport à cette durée flottante. Il s'agira d'un jour de fête familiale, donnée à l'occasion d'une communion ou de fiançailles. On a bu et mangé à satiété, déjà chanté. Le père s'accorde le droit de s'endormir parce que toute a famille est heureuse et que les jeunes gens ont commencé à danser. Il manifeste ainsi son contentement, son accord. Il ne s'absente pas de la fête puisqu'il lui arrive de s'éveiller, d'entendre doucement les flonflons de la musique. Seulement, tandis que d'autres manifestent bruyamment leur joie, il métamorphose celle-ci en une écoute latérale, subtile. Il éprouve à la limite de l'imperceptible ce que d'autres vivent dans l'exaltation. Nous avons là l'exemple d'une expérience délicate. Car c'est un second engourdissement qui succède à un premier engourdissement, celui du repas lui-même. On atténue un rythme dont la cadence était déjà devenue moins rapide. En termes mécanistes et inattentifs à la vie des significations, on affirmerait que la nourriture et l'alcool ont provoqué le sommeil. Ce serait manquer l'art avec lequel notre siesteur s'est plongé dans l'engourdissement et en a pressenti l'imminence au fil des plats. Ce sommeil qui souvent s'abattait sur lui avec brutalité, s'il pratique des travaux de force, il en a aperçu cette fois en ce beau dimanche la crue continue.

Il se trouve que digérer et dormir appartiennent à la même sphère de travail, d'un travail organique qui s'opère avec le consentement de notre corps, qui remue des profondeurs viscérales auxquelles nous n'attachons pas habituellement d'attention. Un sommeil juste et heureux se fomente à la façon dont la nourriture se transforme en nous.

Une telle sieste connaît des moments d'éveil et de nouveaux assoupissements. Sa durée ne se situe jamais au même niveau de notre existence. Sa ligne de flottaison heurte tantôt le conscient, tantôt l'inconscient. À la façon de certaines plantes aquatiques, notre dormeur bienheureux se montre capable d'émerger et d'immerger, d'accoster au monde de la veille et de prendre à nouveau le large, de dériver du plein soleil d'une belle après-midi de mai jusqu'à l'obscurité puisqu'il ne quittera son lit que lorsque le soir tombera et que les convives iront à nouveau dîner avec « les restes de midi » avant de recommencer à danser.

Mais quoi, bricoler, festoyer, faire la sieste (piquer un roupillon), jardiner, prendre le frais... Voilà qui manque un peu de grandeur et qui ne nécessite pas beaucoup d'efforts. J'aurais, semble-t-il, évoqué avec sympathie des moments de repos indispensables pour récupérer et entretenir les forces de travail, leur platitude presque organique s'opposant à l'effervescence des loisirs de nos modernes. Ne faudrait-il pas mettre un terme à ce classement entre ce qui est noble et ce qui ne l'est pas ? D'autre part, être au coude à coude avec es camarades, respirer le monde à pleins poumons ou à petites gorgées, activer dans une semi-torpeur le soufflet de notre forge, bricoler ne s'exercent pas sans notre concours. Il est des sommeils inachevés, des rencontres au bistrot médiocres. En revanche, dans certaines conditions, nous pouvons nous accomplir dans le repos, y trouver le bonheur d'une restauration créatrice, le goûter tout comme l'on savoure un aliment, la qualité d'un paysage, les gestes attentionnés d'un autre être et ce repos ne se définit plus comme l'absence de mouvement.

Le repos, ce n'était pas, ce n'est pas seulement pour des personnes modestes le bonheur de récupérer, de disposer à son gré du temps de s'adonner à une activité librement choisie. La paix de la trêve (dominicale, même si ce n'est pas un dimanche) se découvre aussi au-dehors, dans l'ensemble du quartier, sur ses pierres, sur des visages moins fatigués, sur la manière d'ouvrir et de fermer les portes du bistrot et de s'attarder à sa terrasse, sur la façon dont les ménagères effectuent leurs courses et dont les gens parlent entre eux sur le mode de la plaisanterie et sans nulle agressivité. C'est le quartier qui a été lavé de la fatigue et qui chantonne. Ce sont les hommes qui redécouvrent à quel point ils sont les amis les uns des autres.

Il existerait deux formes de repos. Le premier se nourrit encore de la fatigue, comme si nous éprouvions du plaisir à modérer notre effort, à l'accompagner jusqu'à son extinction. À mesure que la fatigue s'estompe, le repos lui aussi perd de son être. Dans ce repos-là, il y a encore une part de gestes, de regards vigilants, de tension : nous avons le bonheur d'assister à leur épuisement.

L'autre repos consiste en un état supérieur d'où toutes les fébrilités ont été exclues. En lui ne surgit même pas la satisfaction d'un travail accompli. Il est rare car il se doit d'être soustrait à l'entraînement des courants qui dans l'harmonie ou le conflit agitent une conscience. La perception de certains éléments nous en donne une image convenable. Ainsi, l'assise des montagnes qui depuis des millénaires ne se plissent plus et ne se déplissent plus, un lac d'altitude qui oppose sa rectitude idéale à la verticalité des falaises qui s'arcboutent auprès de lui.

Les gens simples connaissent ces deux expériences : la première parce que la vie ne les ménage pas et qu'ils savourent les instants où il leur est donné d'échapper à un rythme contraignant ; la seconde parce que leur âme est paisible et qu'ils ne frétillent pas sous l'effet de l'ambition.

En guise d'adieu, allons-nous penser, avec quelque amertume, que l'intellectuel se voit exclu de cette forme de durée qui serait réservée aux humbles ? Il serait l'ami de midi le Juste ; travailleur infatigable de la preuve, il déterminerait les concepts, il mettrait en place des dispositifs théoriques, des réseaux rigoureux. Il partirait en guerre contre les marchands de sommeil et à plus forte raison contre les apologistes de la sieste. Il aurait en horreur la mollesse puisque toute la dignité de l'homme consiste à se ressaisir, à se savoir juge et arbitre du cours de l'univers.

Nous évoquerons plutôt certains matins de la pensée. Le penseur, enseignant ou chercheur, sociologue ou philosophe, après s'être levé, se dirige vers son cabinet de travail. Il s'assure de la présence de ce qu'il a écrit la veille, il ne le lit pas, il se réhabitue à son univers de labeur, avec des piles de documents, des feuillets épars : une sorte de chantier qu'il faut à nouveau visiter avant de décider comment s'y prendre. Il sait qu'il aura à reprendre son travail et à lui donner un sens qui n'est pas tellement indubitable en soi. Pour l'instant il flâne et il s'accorde quelque répit.

Ou encore nos maîtres de la Sorbonne à qui nous osions à peine rendre visite. Nous traversions d'abord un long corridor, une sorte d'antichambre, pour aboutir à une pièce qui semblait submergée de livres et de documents, et qui paraissait engourdie sous leur nombre. Nous ne venions pas quémander un quelconque conseil, comme le jeune homme naïf de Sartre qui lui demandait s'il devait ou non s'engager dans la Résistance. Nous n'espérions pas l'illumination qui incise la durée, la rencontre d'une pensée agile, une incitation héroïque à être davantage lucide. Nous venions goûter la mélancolie d'une parole feutrée, d'une lampe timide, d'un geste rare. Nous admirions ces yeux qui à force de lire s'éteignaient peu à peu, cette bouche qui, pour avoir prononcé tant de propos, avait enfin appris à chuchoter, à murmurer. Une sorte de répit accordé par les forces en mouvement de la réalité. Quand nous sortirions boulevard Saint-Germain, nous serions une fois de plus étonné que les choses soient aussi irrespectueuses à l'égard des humains, qu'elles ne craignent pas de les offusquer par leur vivacité, qu'elles soient inintelligentes au point d'ignorer toute forme d'une quelconque lassitude.

L'immeuble dans lequel logeait mon préféré manquait de confort. Il m'invitait à m'asseoir près du poêle, puis il me lisait tel ou tel poète qu'il se vantait d'avoir « déniché ». L'expression me paraît convenir car il avait l'air ravi d'un gamin qui a découvert un trésor. Je ne partageais pas tout à fait son enthousiasme, mais enfin il lisait ces pages avec une telle délectation. Je lui rendais de menus services comme de poster une lettre avant la dernière levée. En guise de remerciements, il m'offrait un verre de blanc sec, dans lequel il trempait avec gourmandise des biscuits champagne. En hiver, au moment de me raccompagner, il tisonnait à nouveau le feu et son regard s'attendrissait sur les étincelles que son geste provoquait. Puis, en guise d'au revoir, il murmurait pour lui-même : « Allons à nos casseroles. »

Je l'ai rencontré ravi, alerte au milieu des fruits et légumes d'un marché de la place Maubert ou de la Contrescarpe. Voilà donc les plaisirs qu'un professeur admirable s'accordait au milieu d'une vie de travail. J'admirais qu'un esprit aussi éminent ait gardé l'âme des simples et qu'il goûte au repos de la même façon qu'eux.

NAISSANCE DU JOUR

Une certaine fébrilité à se divertir plus qu'à œuvrer, on l'aura deviné, m'inquiète et m'irrite. Je ne boude pas pour autant le monde. Vivre pour moi est une chance que j'entends préserver autant que je pourrai. Me présenter comme un vivant face à la mort, ce serait la plus belle des fins. Je m'émerveille d'être un voyant et qu'ainsi l'univers m'apparaisse dans sa visibilité, d'être un individu sentant et donc de ne pas demeurer insensible, et que, jouissant de cinq sens et peut-être davantage, des choses multiplient leurs offrandes à travers tous les pores de mon être. Mes semblables, je me réjouis de pouvoir déchiffrer sans peine leurs émotions, leurs joies, leurs colères, et si je me suis égaré dans la lecture de leurs gestes, le malentendu que je tente alors de dissiper m'amuse plus qu'il ne m'angoisse. J'irai jusqu'à écrire que je jouis de ma confusion et de ce sang qui afflue à mes joues. L'infinie diversité des visages me remplit de bonheur. C'est pourquoi il me suffit d'arpenter une rue pour qu'il m'arrive quelque chose, ne fût-ce que cette inclinaison des cils ou cette douceur des traits ou cette démarche rugueuse d'un autre promeneur, pour que je puisse déclarer qu'il s'est produit en ma présence un événement et qu'au besoin j'aurai à en témoigner.

Je n'aurais pas dû laisser entendre que je déchiffre mes semblables. Je les regarde sans me demander qui ils sont, ce qu'ils veulent, s'ils m'en veulent – presque en extase devant leurs visages, et qu'une chair, même au repos, soit aussi mobile et remplie de sens.

Me bouleverse, plus que tout autre événement, la naissance du jour – et j'ai de quoi être satisfait puisque toutes les vingt-quatre heures un jour se lève et se proclame dans la lumière ou la brume, peu importe. C'est là une naissance, à mes yeux, plus émouvante que celle d'un petit être humain. Elle est exempte de pleurs, de cris. Un déchirement dont le pathétique n'engendre pas la douleur ou une tragédie (un deuil). Je la compare à l'avènement d'une œuvre. Certains d'entre nous ont eu la joie d'assister à une première représentation théâtrale ou musicale et de voir surgir en leur présence un incontestable génie.

À supposer que l'existence, ce que je ne crois pas, soit composée de redites, de brouillons illisibles, de ratures, de bavures, d'actes bêtes et méchants, elle trouverait sa rédemption dans la venue quotidienne à l'être d'un nouveau jour.

J'associe, sans trop de raisons, semble-t-il, cette renaissance au monde grec et je risque une hypothèse pour en rendre compte. J'ai eu la chance, grâce à mes études, de m'initier à la langue et à la culture grecques. Cette Grèce-là m'est apparue comme mon pays natal, un pays immémorial soustrait à la décrépitude. Une terre aux rivages de lumière, bordée par une mer bienveillante et riche en commerces, en processions, en guerres, en expéditions coloniales. Une Grèce matinale, fréquentée par des dieux souvent farceurs, rieurs, amoureux, des demi-dieux qui n'exigeaient rien des hommes et leur accordaient le loisir de vaquer tranquillement à leurs occupations, à leurs bavardages, à leurs jeux, à leurs conflits, à leurs spectacles. Cette Grèce-là avait existé, il y a bien longtemps, et quand j'entendais sa langue, c'étaient des mots que nul n'avait entendus avant moi et que des hommes illustres avaient prononcés pour éblouir un petit paysan du Lot-et-Garonne et, à les reconnaître aussi vifs, j'admettais sans amertume que je n'avais jamais été aussi jeune qu'eux. Elle avait, comme le jour, les vertus d'un commencement absolu, c'est-à-dire sans avant et sans après. C'était de part et d'autre le sentiment d'un miracle. C'est-à-dire la venue de l'improbable ou d'un événement qui, malgré sa reproduction, avait encore le pouvoir de nous surprendre.

Il existe cependant une différence entre ces deux merveilles. Une fois éveillée, une journée peut démentir son inauguration. Alors, pour éprouver l'illusion d'un commencement radical auquel rien ne succédera, nous devons avoir l'intelligence de saisir l'instant éphémère pendant lequel le temps s'est immobilisé.

Je surprends ce drame dans des circonstances différentes.

Une ville à jeun c'est beau. Les falaises d'une métropole surgissent dans l'innocence et l'abrupt hors de toute référence à l'économique et à la trépidation des affaires. Jaillie d'une galaxie, miroir de la ronde des étoiles, paradigme (témoignage) d'une géométrie parfaite. Dans la petite ville où j'habite, il n'y a pas une pareille grandeur. Pour un peu, je céderais à la tentation de réveiller des âmes engourdies, quitte à leur tirer s'il le fallait les oreilles, à les aider à ouvrir leurs boutiques. Mais, enfin, bientôt des écoliers, des employés s'égailleront de par les rues, d'un pas léger, à pas de colombe, d'une pâleur émouvante. C'est donc l'aube plutôt que la naissance du jour à laquelle je suis sensible.

À la montagne, j'aime loger dans un chalet proche de hautes montagnes. Le charme de la naissance gagne en intensité. Il faut que le soleil se hisse au-dessus d'elles. Escaladeur téméraire, il apparaît, il disparaît, il semble avoir renoncé, et il apparaît à nouveau. Les montagnes sublimes se recouvrent d'une tunique rose, leurs lèvres de pierre sont gercées et demeurent obstinément fermes. Le spectacle me réintroduit en des temps lointains, ceux de la préhistoire. Les montagnes, par le jeu de l'ombre et de la lumière, sont à nouveau sculptées, épousent des formes inédites. Je suis proche de l'hébétude. C'est ainsi que l'univers autrefois a dû prendre forme, à travers plissements, érections, remaniements des bosses et des plaies, avancées et replis des masses d'eau.

Une ville comme Paris me présente un spectacle du même ordre. D'une de ses collines, j'aperçois la lumière naissante s'insinuer dans un de ses creux alors qu'elle a déjà frappé de plein fouet certaines hauteurs. Paris l'éminente me présente ses éminences : ses cathédrales, ses monuments, ce qu'elle a de plus noble et qui sut échapper aux horreurs de la guerre ou à l'inconscience des pouvoirs. J'aperçois quelques tours suspectes. Je feins de croire que je les ai introduites dans mon regard par une fâcheuse surimpression : de vilaines traces d'une ville bâtie à la va-vite. Paris n'est plus un immense territoire hors de ma portée : je pourrais faire jeu égal avec tel ou tel de ses pans. Il est des jours où elle se montre plus badine et, en pareille circonstance, elle me propose plusieurs paysages urbains avant de m'offrir un ensemble qui changera à peine. Il y a encore de la pâleur sur cette ville et je l'aime davantage de ne pas manifester l'arrogance d'une capitale et de trembler d'effroi comme une petite bête surprise dans un pré, quand la nuit ne la protégera plus. Elle pressent sans doute qu'elle devra, ce jour encore, être égale à elle-même. Un pareil prélude me confirme que la poudre parlera en tel ou tel point de la cité bien-aimée.

J'en dis trop. Il est rare que je remue ces pensées. Le plus souvent, je demeure muet en présence d'un événement aussi formidable (de l'ordre de la foudre) : la naissance d'une ville ou d'un monde et ma propre naissance si je décide à nouveau de vivre ce matin-là.

Pour être tout à fait sincère, il m'arrive de faire faux bond au jour, j'ai peine alors à me débarbouiller de la nuit, de mes rêves ; une fois le départ raté, j'ai honte de partir après les autres, mais demain une autre aube me sera offerte.

Demain naîtra un autre jour. Demain je redeviendrai un voyant. J'approcherai mes mains des choses. Je ferai tourner la roue des saisons : printemps, été, automne, hiver, tout me sera bon. J'accompagnerai la lumière jusqu'à son déclin et la nuit jusqu'à son déchirement. Ce monde en loques, je le vêtirai d'une parure royale ou plutôt, connaissant mes véritables impulsions, je lui déroberai quelques haillons.

Demain, une nouvelle fois, je mesurerai ma chance d'être encore un vivant

Table

AVANT-PROPOS 9

POUR PARER AUX EMPRESSEMENTS DU TEMPS 17

Flâner 33
Écouter 43
Un ennui de qualité 53
Rêver 63
Attendre 71
La province intérieure 83
Écrire 93
La sagesse du vin 103
Moderato cantabile 113

L'ALTERNANCE DES RYTHMES 121

PROCÈS, UTOPIES ET CONSEILS 139

La fébrilité culturelle 141
Pour un urbanisme retardataire 157
Effleurer et non point s'affairer 175
Le repos des simples 185
Naissance du jour 199

DU MÊME AUTEUR

Poétique de la ville, Klincksieck, 1973, rééd. A. Colin, 1997.

Variations paysagères, Klincksieck, 1983.

La France sensible, Champ Vallon, 1985, rééd. Petite Bibliothèque Payot, 1995.

Cahiers d'enfrance, Champ Vallon, 1990, rééd. Petite Bibliothèque Payot, 1994.

Le rugby est une fête, Plon, 1991.

Les Gens de peu, PUF, 1992.

Papiers rêvés, papiers enfuis, Fata Morgana, 1993.

Jardins publics, Payot, 1993, rééd. Petite Bibliothèque Payot, 1995.

Les Pilleurs d'ombre, Payot, 1994.

Les vieux ça ne devrait jamais devenir vieux, Payot, 1995.

Les pierres songent à nous, Fata Morgana, 1995.

Il vous faudra traverser la vie, Grasset, 1999.

Chemins aux vents, Payot, 2000.

Cet ouvrage a été réalisé par

FIRMIN DIDOT

GROUPE CPI

Mesnil-sur-l'Estrée

pour le compte des Éditions Payot & Rivages
en janvier 2001

Imprimé en France
Dépôt légal : août 1998
N° d'impression : 54143
18e édition